Blwyddyn Iolo

Iolo Williams

Gwasg
Gwynedd

Argraffiad Cyntaf — Tachwedd 2003

ISBN 0 86074 199 0

Cyhoeddwyd ac Argraffwyd
gan Wasg Gwynedd, Caernarfon

I
Mam a Dad

AM FOD YN GYMAINT O YSBRYDOLIAETH I MI
AR HYD Y FFORDD

Cynnwys

Díolch

Mae'n amhosibl ysgrifennu unrhyw lyfr fel hwn heb gymorth a dwi'n ddiolchgar iawn i nifer o bobol sydd wedi bod yn hynod o gefnogol.

Yn gyntaf, mae'n rhaid imi ddiolch o galon i 'ngwraig, Ceri; y plant, Dewi a Tomos, a'r cŵn, Ianto a Gwen, am ddioddef absenoldeb Dad pan oedd yn diflannu i'w swyddfa er mwyn rhoi'r llyfr hwn at ei gilydd. Anghofia i byth mo'ch cefnogaeth, eich caredigrwydd a'ch cariad.

Oni bai am Alwyn a Nan a phawb yng Ngwasg Gwynedd, fuasai'r gyfrol hon byth wedi gweld golau dydd. Rhaid diolch ymhellach i Nan am wella'r llyfr trwy geisio cael graen ar fy Nghymraeg bratiog!

Mae'r ffotograffydd, Steve Phillipps, wedi caniatau imi ddefnyddio rhai o'i luniau bendigedig o fywyd gwyllt Cymru i ddod â lliw i'r gyfrol. Dwi hefyd wedi bod yn ddigon ffodus i gael un o naturiaethwyr enwoca'r wlad, Dr Goronwy Wynne, i edrych dros y drafft cyntaf er mwyn cywiro unrhyw wallau ffeithiol. Mae Goronwy wedi gweithio'n hynod o galed ac wedi chwilio am erthyglau mewn cylchgronau o bob lliw a llun i sicrhau bod y ffeithiau'n gywir – mae 'nyled i'n fawr iddo. Y fi, a neb arall, ddylai gael y bai am unrhyw gamgymeriad a all fod ar ôl yma bellach.

Yn olaf, diolch i chi am brynu'r llyfr ac am ddangos diddordeb ym mywyd gwyllt gwlad fechan sydd, heb os nac oni bai, gyda'r prydferthaf yn y byd i gyd.

IOLO WILLIAMS

Ionawr

Wyt Ionawr yn oer,
A'th farrug yn wyn;
A pha beth a wnaethost
I ddŵr y llyn?

Wel, tydi'r misoedd na'r tymhorau – fel llawer peth arall
erbyn heddiw – 'ddim fel y buon nhw'! Pur anaml, mwyach,
y cawn ni eira ar yr iseldir ym mis Ionawr. Serch hynny,
mae'n gallu bod yn adeg anodd iawn i fyd natur ar droad y
flwyddyn, a chyda'r tymheredd yn isel ac oriau golau dydd yn
brin, rhaid i'r adar a'r anifeiliaid fanteisio ar bob munud o
oleuni sydd ar gael iddynt.

* * *

Bydd gweld eirlysiau yn gwthio'u ffordd i fyny trwy'r pridd
yn codi 'nghalon i bob mis Ionawr, yn enwedig pan fydd y
blodau'n ymddangos fel clychau bach gwyn. Oherwydd bod
yna bosibilrwydd y bydd y ddaear wedi'i gorchuddio ag eira a
rhew pan ymddengys yr eirlys fach, mae blaen y dail yn galed
ac yn gryfach na gweddill y planhigyn – addasiad perffaith i
gyrraedd y golau er gwaetha'r tymheredd. Mewn llecynnau
digon cysgodol y gwelir y blodau cyntaf fel rheol, yn aml
iawn yng nghanol coedwigoedd a mynwentydd ac wrth
ochrau afonydd.

Go brin mai blodau gwyllt ydi'r rhain. Y tebygrwydd ydi'u
bod wedi cael eu taflu allan o erddi cyfagos neu wedi cael eu
plannu'n fwriadol gan rywun neu rywrai. Yn wir, y gred ydi
mai blodyn wedi'i gyflwyno i'r wlad yma ganrifoedd lawer yn
ôl ydi'r eirlys. Ond beth bynnag yw ei darddiad, mae'n dod â
lliw i gefn gwlad ar amser digon llwm o'r flwyddyn, yn
ogystal â bwyd hollbwysig i'r ychydig bryfetach sydd o
gwmpas ar adeg mor oer.

Yr amser yma o'r flwyddyn, hefyd, bydd adar yn heidio i'n gerddi yn eu miloedd. Mae hyn yn rhoi cyfle inni gael golwg fanwl ar adar digon cyffredin ac, o dro i dro, i daro ar aderyn ychydig mwy annisgwyl. Er bod llawer o'r mudiadau adar yn canolbwyntio'u hymdrechion ar adar prin sy'n cartrefu mewn llecynnau digon anghysbell, adar yr ardd ydi'r rhai pwysicaf i'r rhan fwyaf ohonom gan mai'r rhain fyddwn ni'n eu gweld bob dydd. Heddiw, amcangyfrifir bod dros ddwy filiwn o bobol yn rhoi bwyd allan i'r adar dros y gaeaf, a chyda'r dirywiad yn niferoedd yr adar ar dir amaeth mae pwysigrwydd gerddi preifat yn cynyddu'n flynyddol.

Er mwyn denu'r amrywiaeth mwyaf o adar, mae'n bwysig rhoi amrywiaeth o fwyd – a dŵr – allan ar eu cyfer. Mae'r dŵr yr un mor bwysig â'r bwyd, er mwyn i'r adar gael ymolchi ynddo yn ogystal â'i yfed. Bydd hyn yn cadw'r plu yn y cyflwr gorau, ac yn helpu i sicrhau bod yr aderyn yn cadw'n gynnes dros nos a'i fod mewn cyflwr da i fedru osgoi anifeiliaid ac adar ysglyfaethus.

Cnau mwnci fydd y rhan fwyaf o bobl yn eu rhoi allan, a hynny fel rheol mewn cawell o ryw fath. Gall llawer o adar, yn enwedig y titws, hongian ar y gawell a bwydo'n ddibaid trwy'r dydd. Bydd cawell â'i lond o gnau blodau'r haul, wedyn, yn llawer mwy tebygol o ddenu adar fel y llinos werdd (*greenfinch*) a'r ji-binc. O dan y cawellau mi welwch adar eraill fel y robin goch a'r siani lwyd (llwyd y berth) yn pigo'r briwsion sy'n cwympo i'r llawr o'r gwledda uwchben! Taflwch ffrwythau i gorneli pella'r ardd ac mae'n debyg y bydd llawer o deulu'r bronfreithiaid – fel y socan eira (*fieldfare*) a'r coch dan adain (*redwing*) – wrth eu boddau. Yn ogystal, gall hadau cymysg wedi'u gwasgaru ar y lawnt ddenu adar y to, ynghyd â rhai prinnach fel melyn yr eithin (*yellow hammer*) a hyd yn oed golfan y mynydd (*tree sparrow*).

Mae'n wir bod bwydo adar trwy gydol y gaeaf yn gallu bod yn ddrud ond, yn yr ardd acw, mi fydda i'n defnyddio sbarion bwyd yn bennaf. Mae hen gacenni a bisgedi yn denu adar duon a robin goch, ac mi fydda i hefyd yn cadw brasder ar ôl coginio cig oen neu selsig a'i gymysgu hefo briwsion bara. Mae hwn yn ffefryn gan bob math o adar, yn cynnwys y gnocell fraith fwyaf (*great spotted woodpecker*) sy'n cadw pob un aderyn arall draw o'r bwrdd bwydo tra'i bod hi yn llenwi'i bol! Mae'n bwysig, fodd bynnag, i dorri bisgedi, cacenni a bara yn friwsion mân – neu brain fydd yr unig adar welwch chi'n gwledda.

Mae llawer o wahanol ffactorau yn effeithio ar niferoedd yr adar yn yr ardd, yn cynnwys lleoliad a maint yr ardd a'r amrywiaeth o gynefinoedd o'i chwmpas. Mi ydw i'n ffodus iawn yn y lle rydw i'n byw ynddo ar gyrion y Drenewydd, gan fod coedwig, mynwent a ffermdir yn ffinio'r ardd, ac felly dwi'n cael amrywiaeth eang o fywyd gwyllt. Ffactor bwysig arall ydi'r tywydd. Pan fydd hi'n fwyn iawn, bydd y rhan fwyaf o'r adar yn gallu dod o hyd i ddigonedd o fwyd yn y coedydd a'r caeau, ond bydd eira a rhew yn eu hanfon yn eu cannoedd i'n gerddi.

Dwi'n gwybod bod llawer o bobol yn cael problemau annisgwyl wrth fwydo adar. I ddechrau, does dim croeso i rai o'r creaduriaid sy'n cael eu denu gan y ganolfan fwydo. Dwi wedi gweld lluniau o lygod mawr yn bwydo o dan fyrddau adar, a hyd yn oed yn eu dringo a dychryn yr adar i ffwrdd. Yr ateb yn y fan yma ydi sicrhau nad oes llawer o fwyd yn cael ei roi mewn un pentwr ar y llawr a gofalu symud y bwrdd bwydo yn rheolaidd.

Yn yr ardd acw mae pïod yn tueddu i ddwyn llawer o'r bwyd, ond mae torri popeth yn fân a thaflu llawer o'r bwyd o dan y perthi yn lleihau'r broblem. Creadur arall sy'n bla acw ydi'r wiwer lwyd ond, diolch byth, mae digonedd o fwyd yn y goedwig gyfagos i gadw'r gwiwerod draw, gan mwyaf. Mae bron yn amhosibl ichi gadw'r anifeiliaid cyfrwys yma oddi wrth y bwyd yn gyfan gwbwl, er gwaetha'r taclau dirifedi y gellwch eu prynu sy'n honni gallu gwneud hynny. Dwi'n cofio gwylio rhaglen deledu unwaith lle'r oedd gwiwer lwyd wedi dysgu sut i fynd at gawelli cnau er gwaethaf pob math o boteli plastig a roddwyd ger y bwyd i geisio'i rhwystro; roedd fel gwylio arholiad i geisio ymuno â'r SAS! Yr *un* peth sy'n gweithio acw ydi anfon dau gi allan ar eu holau!

Buasai llawer un yn dweud bod adar ysglyfaethus fel y gwalch glas yn gallu bod yn broblem fawr yn yr ardd. I mi, mae'r gwrthwyneb yn wir, ac mae croeso i'r adar unigryw yma yn yr ardd acw bob amser. Os ydych am ddenu cannoedd o adar bach, rydych yn siŵr o ddenu adar ysglyfaethus. Mae pobol yn fodlon iawn i dalu miloedd i ymweld â'r Serengeti i wylio llewod yn hela *wildebeest*, ond yn anfodlon i wylio adar ysglyfaethus yn gwneud yr un peth yn yr ardd gefn a hynny yn rhad ac am ddim! Rhaid cofio bod y gwalch glas wedi esblygu dros filiynau o flynyddoedd i hela adar bach mewn coedwigoedd – y gynffon hir a'r adenydd llydan, byr yn ei alluogi i droi ar ben hoelen i erlid ei brae. A ph'run bynnag, mae llawer o ffyrdd i leihau'r trafferthion i'r adar bach, gan gynnwys symud y bwrdd bwydo a'r cawellau o dro i dro a'u gosod o fewn medr neu ddau i gysgod llwyni trwchus.

Yr anifail mwyaf peryglus yn yr ardd ydi'r gath. Amcangyfrir bod yr anifeiliaid yma'n lladd dros ugain miliwn o adar yr ardd bob blwyddyn. Mae'r gwaith ymchwil diweddaraf wedi dangos bod rhoi cloch ar y goler yn effeithiol iawn, gan fod yr adar a'r anifeiliaid bach yn gallu clywed y gath yn agosáu ac yn cael digon o amser i ddianc. Unwaith eto, yn yr ardd acw, mae'r ddau gi – Ianto a Gwen – yn llwyddo i gadw'r cathod hwythau draw yn dra llwyddiannus!

★ ★ ★

I aros yn yr ardd, mae Ionawr yn fis da i godi blychau nythu i'r adar eu defnyddio yn y gwanwyn. Efallai bod Ebrill a Mai yn ymddangos yn bell i ffwrdd, ond cyn pen dim bydd llawer o'r adar wedi sefydlu tiriogaethau ac yn chwilio am leoedd i nythu. I'r rhai hynny sy'n hoff o ddefnyddio tyllau mae blychau nythu'n berffaith, a gellwch ddyblu poblogaeth yr ardd trwy godi digon o flychau. Blwch gyda thwll bach crwn ydi'r gorau ar gyfer y titw mawr, y titw tomos las, y gwybedog brith (*pied flycatcher*) a'r tingoch (*redstart*), a thwll ychydig mwy ar gyfer adar y to. Bydd blychau blaen-agored yn denu adar fel y robin goch a'r gwybedog mannog *(spotted flycatcher)* – yn dibynnu ar eu lleoliad – ac mae blychau o bob lliw a llun i'w cael ar gyfer amrywiaeth o adar mwy.

Mae'r math o flwch a roir allan gennym yn bwysig, wrth gwrs, ond mae'r lleoliad yn bwysig hefyd. Mae'r robin yn hoff o flwch sydd wedi'i guddio rywle yn agos at y ddaear, a dwi wedi cael pâr i nythu lawer gwaith mewn hen debot wedi'i glymu yng nghanol eiddew ar foncyff derwen fawr yn yr ardd acw. Mae'n bwysig nad ydi'r blychau'n wynebu'r gwyntoedd cryfion, na glaw mawr y gwanwyn sy'n dod fel rheol o'r gorllewin. Gwnaeth cymydog i mi'r camgymeriad o osod blwch titw mewn lle amlwg ar wal ddwyreiniol ei dŷ; erbyn mis Mehefin, roedd pob un cyw wedi marw gan fod tu mewn y blwch fel ffwrn yn yr haul chwilboeth.

Mae'n bwysig hefyd gosod blychau allan o gyrraedd pobol a chathod. Mewn trefi mae fandaliaeth yn gallu bod yn broblem, felly defnyddiwch ysgol i godi'r blychau allan o'r ffordd. Yn ein gardd ni, mi fydda i'n defnyddio blychau *woodcrete* (sy'n edrych yn debyg iawn i goncrid ond ei fod wedi'i wneud o bren). Mantais y rhain ydi eu bod nhw'n cadw gwiwerod a chnocell y coed o'r neilltu, gan fod y rheiny'n hoff iawn o geisio gweithio'u ffordd i mewn i'r blychau yn yr haf i fwyta'r cywion.

Mae rhai'n dadlau nad ydi hi'n beth doeth codi *gormod* o flychau, ond y gwir ydi bod adar yn cadw tiriogaeth ac mae gosod mwy nag un blwch o fewn tiriogaeth aderyn yn rhoi iddo'r dewis o gael symud o un blwch i'r llall o flwyddyn i flwyddyn. I roi syniad ichi, mae 'ngardd i ryw chwarter erw o faint, a dwi wedi codi tri blwch robin goch a chwe blwch titw. Dros y tair blynedd ddiwethaf mae o leiaf bedwar wedi cael eu defnyddio'n flynyddol, ond dim ond dau sydd wedi cael eu defnyddio *bob* blwyddyn.

★ ★ ★

Does dim dwywaith nad y prif atyniad i unrhyw naturiaethwr yn ystod y mis yma ydi'r adar, ac i weld miloedd ohonynt ar eu gorau anelwch tuag at yr arfordir neu, i fod yn fanwl gywir, tuag at yr aberoedd. Gan bod Cymru wedi'i lleoli ar ochr orllewinol Ewrop, mae hi'n lloches bwysig i bob math o adar megis hwyaid a rhydyddion *(waders)* sydd am osgoi'r gaeafau brwnt ymhellach i'r gogledd a'r dwyrain. Mae'n haberoedd ni'n cynnal cymaint o adar am eu bod yn gynefinoedd mor gyfoethog – wedi'r cyfan, maent yn denu'r maeth o'r afonydd yn ogystal ag o'r môr. Mae'r arbenigwyr yn amcangyfrif bod dros filiwn o greaduriaid di-asgwrn-cefn ymhob medr sgwar o fwd yr aberoedd, a'r creaduriaid bychain yma sy'n denu'r adar.

Yr aber orau yng Nghymru ydi aber yr Afon Ddyfrdwy sy'n cyrraedd y môr ger Caer, ac er bod ei hanner yn Lloegr dwi'n ei chyfrif yn aber Gymreig. Bob gaeaf, mae dros gan mil o adar yn ymweld â'r aber er gwaetha'r bygythiadau diwydiannol, ac ar lanw uchel mae'n wledd i'r llygad, coeliwch chi fi. O guddfan Talacre, gellwch weld cymylau o rydyddion fel y gylfinir, pïod y môr *(oystercatchers)* a phibyddion yr aber *(knot)* yn ogystal â hwyaid yr eithin *(shelducks)* yn cael eu gwthio i fyny i glwydfannau diogel gan y llanw. Ymhellach i fyny'r aber, wrth ddociau Mostyn, y pibydd coesgoch *(redshank)* ydi'r aderyn mwyaf cyffredin, ac mae castell y Fflint yn lle gwych i wylio'r rhostog gynffon-frith *(bar-tailed godwit)* a hwyaid fel yr hwyaden lostfain *(pintail)* a'r chwiwell *(wigeon)*. Yma hefyd bob gaeaf fe geir haid o linosiaid y mynydd *(twites)*, nythwyr prin o'r ucheldir sy'n dod i lawr i aeafu ger y Ddyfrdwy. Yn debyg iawn i'r llinos gyffredin, mae gan linos y mynydd big melyn a phen-ôl pinc, a bydd yn heidio i ardal y Fflint i fwydo ar yr hadau sydd ymysg planhigion y morfa helyg.

Mae'n wyrthiol bod cymaint o hwyaid a rhydyddion yn gallu bwydo o fewn yr un filltir sgwâr heb gystadlu'n ormodol â'i gilydd, ond edrychwch yn agos ar big pob aderyn ac fe welwch fod y pigau wedi'u haddasu'n wych. Bydd adar fel y gornchwiglen a'r cwtiad aur *(golden plover)*, sydd â phigau byr a llygaid mawr, yn bwydo ar y creaduriaid bach ar wyneb y mwd. Mae adar sydd â phigau ychydig mwy, fel y cwtiad torchog *(ringed plover)*, yn bwydo ar greaduriaid rhyw fodfedd o dan yr wyneb, ac adar fel y gylfinir a'r rhostog gynffonfrith – sydd â phigau anhygoel o hir – yn bwydo i lawr yn y dyfnderoedd ar fwydod.

Yn ogystal â hyn, mae gwahanol rywogaethau'n arbenigo ar wahanol fwydydd mewn gwahanol lefydd. Bydd pibydd y tywod (*sanderling*) yn rhedeg igam-ogam gan ddilyn llinell y llanw wrth iddo ddod i mewn a mynd allan, ac yn bwydo ar beth bynnag sydd wedi cael ei olchi i mewn gan y llanw. Ar y llaw arall, bydd hwyaid yr eithin yn defnyddio'u pigau byr, llydan i dynnu malwod bychain o'r enw *Hydrobia* allan o'r mwd, ac mae pïod y môr yn hoff iawn o fwydo ar gregyn gleision. Yn wir, mae dau ddull o agor y cregyn. Y cyntaf yw defnyddio'r pig fel morthwyl i 'dorri i mewn' i'r gragen. Yr ail ydi gwthio blaen y pig yn gyfrwys i mewn i'r gragen cyn iddi gau'n dynn, er mwyn torri'r cyhyr sy'n dal y ddwy gragen gyda'i gilydd. Yn wir, mae rhiaint pïod y môr sy'n defnyddio'r dechneg morthwylio yn rhoi genedigaeth i rai bach sy'n gallu morthwylio (a fydd y cywion hynny, wedyn, byth yn defnyddio'r dechneg arall). Hefyd, mae pig aderyn sy'n morthwylio yn llai miniog o lawer na phig yr un sy'n gyfrwys, am resymau amlwg.

Does dim *raid* anelu am Ogledd-ddwyrain Cymru i fwynhau'n haberoedd, fodd bynnag, gan fod miloedd o adar i'w gweld o aber yr Afon Hafren yn y De-ddwyrain i'r Cleddau yn y De-orllewin, ac i Draeth Lafan (ŷnys Môn) ger Bangor. Ar rai o'r rhain, gellir gweld adar na welwch chi mohonynt ar y Ddyfrdwy. Ar aber yr Afon Llwchwr ger Llanelli, er enghraifft, bydd dros fil o wyddau duon (*brent geese*) yn ymgasglu bob gaeaf gyda miloedd o hwyaid a rhydyddion eraill. Mae dwy wahanol hil o'r ŵydd yma – yr ŵydd folddu (*dark-bellied brent goose*) sy'n nythu yn ardaloedd oer Gogledd Ewrop, a'r ŵydd ddu folwen (*light-bellied brent goose*) sy'n nythu ar yr Ynys Las a Spitsbergen. Yr ŵydd folddu sydd i'w gweld ar y Llwchwr, ond ar y Foryd ger Caernarfon fe welwch nifer fach o'r ddwy hil yn gaeafu ochr yn ochr.

Bob mis Ionawr byddaf yn gwneud ymdrech i ymweld â phentref Malltraeth ar ochr orllewinol Ynys Môn. Nid yw'r aber yma, sef aber yr Afon Cefni, yn un fawr ond mae'n cynnal cannoedd o adar fel y pibydd coesgoch a'r gylfinir. Y rheswm dros anelu yno, fodd bynnag, ydi i wylio'r haid fechan o hwyaid llostfain sy'n treulio'r rhan helaethaf o'u hamser ar y pyllau o dan wal y Cob. Y rhain ydi'r hwyaid delaf ym Mhrydain, yn fy marn i, a does unman gwell i'w gwylio nag yma ger Malltraeth lle mae'n bosibl mynd yn agos iawn atynt gyda sbienddrych. Fel pob hwyaden, digon di-nod ydi'r iâr gan mai hi fydd yn gori'r wyau yn y gwanwyn. Ond mae'r ceiliog, gyda'i ben siocled, ei fol gwyn a'i gynffon hir yn aderyn godidog.

★ ★ ★

Mae hwn yn gyfnod tawel ar y clogwyni sy'n amddiffyn Cymru o'r môr garw, gan fod yr adar fydd yn heidio yno yn eu miloedd yn nes ymlaen yn y flwyddyn yn dal allan ar y môr mawr. Bydd llawer o'n gwylogod (*guillemots*) a llursod (*razorbills*) yn treulio'r gaeaf ar y môr ger arfordiroedd gorllewinol Ffrainc a Sbaen ond, ar ddiwrnodau mwyn pan fo'r môr yn dawel, fe welwch un neu ddau yn ymweld â'r clogwyni nythu fel pe baent yn paratoi at y tymor nythu sydd i ddod. Fodd bynnag, byr iawn fydd yr ymweliad hwnnw fel rheol, a phan ddaw'r tywydd garw yn ei ôl byddant yn anelu'n syth tuag at gysur y môr agored.

★ ★ ★

Dwi'n hoff iawn o gerdded gyda'r cŵn o amgylch plasdy Gregynog ar ddiwrnodau oer o aeaf – dydych chi byth yn gallu rhagweld yn union beth welwch chi yno. Ar y lawntydd, yn aml, bydd adar duon yn troi'r dail er mwyn chwilio am fwydod a thrychfilod ac, o dro i dro, bydd corhwyaid i'w gweld ar y llyn bychan. Un o'r pethau difyrraf i mi eu darganfod yno oedd tyllau bach yn rhisgl y coed *Wellingtonia* anferthol. Doedd gen i ddim syniad beth oedd wedi'u creu, nes imi fynd yno gyda'r hwyr a darganfod dringwr bach (*treecreeper*) wedi stwffio'i hun i mewn i'r twll i glwydo rhag yr oerfel. Roedd ei ben a'i fol o'r golwg a'r unig beth oeddwn i'n ei weld oedd y cefn a'r gynffon frown. Yn rhai o'r tyllau eraill gwelais ditw tomos las a thitw penddu yn gwneud yr un peth – pob un yn cymryd mantais o risgl meddal y goeden fawr i osgoi'r tywydd rhewllyd.

★ ★ ★

Tuag at ddiwedd y mis bydd pysgod unigryw yn Llyn Tegid (Llyn y Bala) yn gwneud eu ffordd i fyny o'r dyfnderoedd i'r dŵr bas wrth ochrau'r llyn i ddodwy wyau. Mae'r gwyniad yn aelod o deulu'r penwaig ac i'w gael mewn rhai llynnoedd yn Nwyrain Ewrop ac yn Llyn Tegid – ond ddim yn unman arall yng ngwledydd Prydain! Mae'n siŵr iddynt gael eu gadael yn y llyn wrth i'r rhew gilio ar ddiwedd yr Oes Iâ ddiwethaf, rhyw bymtheng mil o flynyddoedd yn ôl. Fel rheol, mae'r pysgod yn byw ac yn bwydo yn agos at waelodion y llyn dwfn yma, a dim ond unwaith y flwyddyn y dônt yn agos at y lan i ddodwy eu hwyau ymysg y graean. Yn dilyn storm yr amser yma o'r flwyddyn, gellir darganfod miloedd o wyau ac ambell i bysgodyn wedi'u golchi i'r lan, pob un yn arogli o giwcymbyr! Mae gofyn rheoli lefelau dŵr y llyn yn ofalus yr adeg yma er mwyn sicrhau nad ydi'r wyau'n cael eu gadael ar dir sych.

Yn anffodus, rai blynyddoedd yn ôl, cyflwynwyd pysgodyn dieithr o'r enw *ruffe* i'r llyn. Mae hwn yn bysgodyn rheibus sy'n dilyn y gwyniad i'r dŵr bas er mwyn bwyta'r wyau. Does neb yn siŵr eto beth yn union fydd effaith dyfodiad y pysgod estron yma ar y gwyniaid ond mae gwaith ymchwil ar hyn wedi cael ei gychwyn eisoes gan Brifysgol Lerpwl.

★ ★ ★

O dro i dro, caiff un o adar delaf y wlad ei weld yr amser yma o'r flwyddyn yng Nghymru. Bydd y gynffon sidan *(waxwing)* yn nythu yn fforestydd conwydd Gogledd Sgandinafia a Rwsia, ac fel rheol mae'n gaeafu yn Nwyrain Ewrop. Ond pan fydd aeron y griafolen wedi ffaelu yno, neu pan fydd y boblogaeth wedi cael llwyddiant nythu anhygoel, bydd yr adar yn hedfan ar draws y Cyfandir i Brydain. Ychydig ohonyn nhw sy'n cyrraedd Cymru (o gymharu â Dwyrain Lloegr), ond pan *maen* nhw'n dod maen nhw'n werth eu gweld. Aderyn pinc ydi o, ychydig yn llai na'r fronfraith, gyda blaen melyn i'w gynffon; melyn, gwyn a coch ar flaen ei adenydd a chobyn pinc ar dop ei ben.

Dwi'n cofio gwylio tua hanner dwsin ohonynt yn bwydo ar aeron draenen ddu ym mhentref Tregynon, ac er bod chwech ohonon ni'n eu gwylio'n graff o gysgod y brigau doedd dim ofn ar yr adar o gwbwl. Dros y mis neu ddau a dreuliodd yr adar o amgylch y pentref dwi'n siŵr bod cannoedd o bobol wedi bod i'w gweld – a'r rheiny'n bobol gyffredin, nid y *'twitchers'* gwirion yma sy'n rhuthro ar hyd a lled y wlad i weld adar prin.

Aderyn mudol sy'n ymweld â'n gerddi ni'n fwy rheolaidd ydi pinc y mynydd *(brambling)*. Mae hwn yn debyg iawn i'r ji-binc ond bod y ceiliog, yn arbennig, yn fwy trawiadol gyda'i ben tywyll, ei fol gwyn a'i ysgwydd oren. Y ffordd hawsaf i'w adnabod, fodd bynnag, ydi'i wylio wrth iddo gychwyn hedfan. Os oes ganddo ben-ôl gwyn, pinc y mynydd ydi o; os *nad* oes ganddo ben-ôl gwyn, ji-binc ydi o! Efallai bod hynna'n swnio'n rhy syml ond, yn aml, bydd y ddau rywogaeth yn bwydo gyda'i gilydd ar hadau'r ffawydden ar y llawr, a'r unig olwg iawn gewch chi arnynt ydi pan maen nhw'n codi ac yn cychwyn hedfan. Bryd hynny, mae'r gwyn llachar uwchben cynffon pinc y mynydd yn ddigon amlwg.

★ ★ ★

Bob mis Ionawr, yn dilyn wythnos neu fwy o dywydd mwyn, bydd y papurau'n cofnodi rhyw aderyn cyffredin (fel yr aderyn du neu'r fronfraith) a ganfuwyd yn nythu mewn perth neu mewn sied yng ngwaelod yr ardd. Eithriad ydi hyn, wrth gwrs, gan nad ydi'r adar yma'n dechrau nythu go iawn am ddeufis arall a mwy, ond mae tywydd mwyn (yn enwedig yng nghanol dinasoedd lle mae'r tymheredd ychydig yn uwch) yn gallu sbarduno rhai adar i adeiladu nyth ac i ddodwy wyau. Ond mae 'na un aderyn sy'n aml yn cychwyn ar ei dymor nythu yn ystod y mis yma – ar waetha'r gwynt, y glaw a'r eira – y gylfin groes *(crossbill)*.

Dyma ichi aderyn digon od yr olwg! Ond mae'n aderyn hardd hefyd, tua'r un maint â'r llinos werdd – y ceiliog yn goch a'r iâr yn felynwyrdd. Y peth rhyfeddaf amdano ydi siâp unigryw'r pig, sydd wedi'i addasu i dynnu hadau o foch coed. Mae un gylfin yn troi i'r dde (neu'r chwith) a'r llall yn syth, ac felly gall yr aderyn agor y moch coed a bwydo ar y dwsinau o hadau sydd i'w cael ymhob un. Mae'n nythu'n gynnar gan fod ei fwyd – hadau'r coed bythwyrdd – yn ymddangos ar ddiwedd y gaeaf.

Ers talwm, ymwelydd eithaf prin oedd yr aderyn yma. Yr unig adeg y byddai'n cyrraedd ein glannau oedd pan fyddai cynhaeaf moch coed y Cyfandir wedi methu, a'r adar wedyn yn mudo i'r gorllewin yn eu miloedd. Fe ddechreuon nhw nythu'n gyson yma tua chanol y chwedegau (chwedegau'r ganrif ddiwethaf, wrth gwrs), gan gymryd mantais o'r miloedd o erwau o goed pîn estron a blannwyd gan y Comisiwn Coedwigaeth. Mae'r niferoedd sydd yn nythu yma'n amrywio o flwyddyn i flwyddyn ond yn aml mi welwch heidiau bychain yn hedfan uwchben coed coniffer, yn galw 'jip-jip' wrth fynd.

★ ★ ★

Os ydych am weld un o ryfeddodau byd natur Cymru ym mis Ionawr, anelwch at un o orsafoedd bwydo'r barcud yn y Canolbarth. Un o'r rhai gorau o'r safleoedd hynny ydi fferm Gigrin ar gyrion tref Rhaeadr ym Mhowys, ond gellwch hefyd eu gweld yn Nhregaron a Nant-yr-Arian ger Aberystwyth. Dim ond chwarter canrif yn ôl roedd y barcud coch *(red kite)* yn aderyn prin iawn, gyda dim mwy na deg ar hugain o barau yn nythu yma; bryd hynny, buasai gweld hanner dwsin o adar yn cylchu gyda'i gilydd yn yr awyr yn eithriadol. Erbyn heddiw, mae dros bedwar cant o barau yn nythu yng Nghymru, ac ar ddiwrnod clir ac oer ym mis Ionawr gellir cofnodi dros ddau gant o farcutiaid gyda'i gilydd ar fferm Gigrin.

Dynes o'r enw Frances Evans ddechreuodd ddarparu cig i'r barcutiaid ger Tregaron, a hynny ar ôl i'r domen sbwriel lle'r oedd rhyw ugain o farcutiaid yn bwydo gael ei chau i lawr. Dechreuodd Ithel a Chris Powell fwydo barcutiaid yn

21

Gigrin yn y nawdegau, ac erbyn troad y ganrif roeddynt yn denu ymwelwyr o bob cornel o Brydain a thu hwnt.

Bob dydd, am ddau o'r gloch, bydd Ithel yn cario sacheidiau o gig allan i'r adar o flaen cuddfannau yn berwi o bobol. Dwi wedi gweld cymaint â phedwar cant o ymwelwyr yno ar benwythnos prysur, pob un wedi gwirioni'n lân efo'r sioe. Ac am sioe hefyd! Y brain sy'n dod ar ôl y cig i gychwyn, ond bydd y barcutiaid yn eu dilyn a'u herlid yn ddidrugaredd nes bod pob brân wedi gollwng y bwyd. Mewn fflach, bydd y barcud yn plymio ar ôl y cig ac yn ei ddal cyn iddo drawo'r ddaear. Bydd barcutiaid eraill yn cystadlu gydag ydfrain, pïod a chigfrain am y tameidiau gorau, yn aml yn plymio hyd at fodfeddi uwchben y ddaear ac yn gafael yn y cig gyda'u crafangau melyn. Does dim syndod bod ymwelwyr yn dod yn ôl yno dro ar ôl tro.

Mae dadlau brwd wedi bod am yr effaith y mae bwydo'r barcutiaid yn ei gael ar y boblogaeth, rhai yn dadlau bod bwydo artiffisial yn beth drwg ac eraill yn dadlau'i fod yn beth da. Yn sicr, mae'n hwb i'r barcutiaid ifanc i oroesi'r gaeafau llwm ac mae'n rhoi cyfle i wyddonwyr astudio'r adar yn agos. Mae llawer un wedi gallu darllen y tagiau plastig a roir ar adenydd yr adar pan maent yn gywion yn y nyth ac, o'r herwydd, rydym wedi gallu dysgu llawer mwy am eu hynt a'u helynt. I mi, y peth pwysicaf ydi ochr addysgiadol y bwydo, ynghyd â'r ffaith bod pobl heb ddim math o ddiddordeb mewn adar cyn hynny yn cael mynd adref wedi gwirioni gydag un o sioeau naturiol gorau Prydain.

Chwefror

Er mai Chwefror, y mis bach, ydi mis byrraf y flwyddyn, mae digonedd yn mynd ymlaen o fewn ei wyth neu naw diwrnod ar hugain. Os ydi'r tywydd yn oer ac yn rhewllyd gall fod yn estyniad o'r gaeaf llwm a fu, ond os ydi'r haul yn tywynnu bydd llawer o'r anifeiliaid a'r planhigion yn bywiogi drwyddynt.

★ ★ ★

Ar ddiwrnod gwyntog, mae gwarchodfa Ynys Lawd ger Caergybi ym Môn yn lle gwych i fynd iddo i wylio aderyn sydd wedi meistrioli'r awyr, sef y frân goesgoch (*chough*). Yn wir, dyma un o'r ychydig adar sydd fel petai'n hedfan am hwyl. Wn i ddim sawl gwaith rydw i wedi bod yn y warchodfa yma'n gwirioni wrth weld haid o ugain a mwy yn plymio a dringo'n ddi-baid fel clwstwr o 'yo-yos' heb gortyn.

Mae llawer enw arall ar yr adar yma hefyd, fel brân big-goch, brân Gernyw a brân Arthur (yr enw olaf yna am eu bod i'w gweld yn yr ardaloedd gwyllt, gorllewinol hynny sy'n gysylltiedig â'r Brenin Arthur o'r hen chwedlau). Fe fu unwaith yn aderyn digon cyffredin ledled Prydain ond erbyn canol y ganrif ddiwethaf roedd wedi cilio i wylltineb arfordirol y gwledydd Celtaidd. Mae Sir Benfro a Gwynedd wedi bod yn gadarnleoedd i'r brain prin yma ers amser maith ond dim ond yn y pumdegau hwyr y dychwelodd y pâr cyntaf i nythu ar Ynys Môn. Ers hynny, mae'r niferoedd wedi cynyddu'n flynyddol a heddiw mae dros ddeugain pâr ohonynt, gyda chanran uchel o'r parau hynny yn ardal Ynys Lawd.

Ar yr arfordir, byddant yn nythu mewn tyllau ac ogofâu lle mae'r clogwyni'n serth, ond mae poblogaeth gref yn y mewndir yn Eryri. Yno, gwell ganddynt nythu mewn chwareli, adeiladau a mwyngloddiau. Yn wir, dwi'n cofio gwylio iâr yn gori pan oedd chwarelwyr yn ffrwydro'r graig o'i chwmpas. Doedd y twrw ddim yn ddigon i beri unrhyw bryder iddi! Bu amser yn y saithdegau a'r wythdegau pan oedd poblogaeth fechan yn nythu yn y mewndir yng Ngheredigion a Sir Drefaldwyn hefyd, ond bellach mae'r frân goesgoch bron â diflannu'n gyfan gwbwl oddi yno.

Ers dros ddeng mlynedd, mae gwyddonwyr wedi bod yn modrwyo cywion er mwyn dysgu mwy am symudiadau'r adar, ac mae'r gwaith yma'n dechrau dwyn ffrwyth. Rydym yn gwybod bod llawer o'r rhiaint arfordirol yn tywys eu cywion i ymuno â heidiau yn Eryri ac yn eu gadael yno. Fel hyn, y mae'r cywion yn dysgu am y llefydd gorau i fwydo oddi wrth yr adar mwy profiadol, a phan fyddant yn dair oed byddant yn dod o hyd i gymar yno hefyd. Yn wir, aeth pâr o Roscolyn ym Môn â'u cywion i Ddyffryn Peris ar ddiwedd y tymor nythu ac o fewn tridiau roedd yr oedolion yn ôl ar eu tiriogaeth arfordirol.

Mae'n braf gwybod bod poblogaeth Gymreig yr aderyn prin yma'n dal ei dir, a hyd yn oed yn cynyddu'n araf. Yn 1963, yn dilyn gaeafau caled, dim ond hanner can pâr oedd i'w cael yma. Erbyn 2002, roedd y nifer wedi cynyddu i ddau gant a hanner o barau, rhyw dri chwarter poblogaeth Brydeinig y frân goesgoch. Os ydych eisiau gweld yr adar hyn, cerwch i Ynys Lawd ar ddiwrnod gwyntog ym mis Chwefror a byddwch yn siŵr o gael dipyn o sioe.

★ ★ ★

Wrth sôn am ddiwrnod gwyntog wrth yr arfordir, dwi'n cofio mentro i glogwyni Wallog ger Aberystwyth yn gynnar un mis Chwefror i chwilio am adar y môr a oedd wedi cael eu chwythu i gyfeiriad y tir. Welais i ddim byd allan ar Fôr Iwerydd ond mi wnes i ddarganfod brân lwyd *(hooded crow)*. Dywed pob llyfr adar wrthych bod yr aderyn yma i'w weld yn Iwerddon, Ynys Manaw a Gogledd yr Alban ond, o dro i dro, mae ambell un yn cael ei chwythu i mewn i Gymru hefyd. Ychydig yn ôl gwelais un ar Ynys Môn, a hyd yn oed un yng nghanol mynyddoedd y Berwyn. Gan amlaf, bydd yr unigolyn yn aros i nythu gyda brân dyddyn gyffredin (wedi'r cyfan, yr un rhywogaeth ydi'r ddau) a bydd y cywion am rai cenedlaethau yn dangos ychydig o blu llwyd. Fel hyn y buodd hi ar arfordir Ceredigion am gyfnod ond erbyn heddiw does dim sôn am y frân lwyd na'i hepil.

★ ★ ★

Llygad Ebrill, medd yr enw, ond ym mis Chwefror y bydd y blodyn bach melyn yma'n ymddangos yn ardal y Drenewydd fel rheol! Enw'r blodyn yn Saesneg ydi *lesser celandine*. Mae'n hoff iawn o ardaloedd coediog ac ochrau afonydd – unrhyw le eithaf cysgodol lle mae'r pridd yn wlyb. Bydd yn ymddangos yn gynnar er mwyn osgoi cael ei gysgodi'n llwyr gan ddail y coed; erbyn yr adeg y bydd gwyrddni'r coed yn ei anterth, ddeufis yn ddiweddarach, bydd y blodau wedi gwywo a'r dail siâp calon yn felynwyn. Cofnododd y naturiaethwr enwog, Gilbert White o Selbourne, bod y blodyn yma'n ymddangos yn amlach na pheidio ar yr unfed ar hugain o Chwefror, ond tybed ydi hynny'n wir yno heddiw?

Pan fo diffyg golau, neu pan fo'r tymheredd mor isel fel y gallai wneud niwed i'r planhigyn, bydd y blodyn yn cau. Dwi'n cofio darganfod coedwig wlyb yn llawn llygad Ebrill pan oeddwn yn fachgen wyth oed yn ardal Llanwddyn. Roeddwn wedi gwirioni – am fod y blodau'n troi llawr y goedwig ac ochrau'r Afon Efyrnwy yn felyn llachar a hynny mewn mis mor llwm. Torrais fy nghalon pan ddychwelais rhyw dridiau'n ddiweddarch, ar fore oer pan oedd barrug yn gorchuddio'r caeau a chymylau trwchus yn cuddio'r haul, i ddarganfod bod y blodau i gyd ar gau. Meddyliais bod rhyw afiechyd wedi dinistrio pob planhigyn neu'r tirfeddiannwr wedi chwistrellu plaladdwyr ym mhobman. Dychmygwch fy llawenydd ar fy ymweliad nesaf pan oedd y blodau'n ôl unwaith eto! Tydi gwybodaeth yn beth gwych…

Blodyn cynnar arall, ac un sy'n aml yn tyfu ochr yn ochr â llygad Ebrill, ydi blodyn y gwynt *(wood anemone)*. Mae'r enw Cymraeg yn ddisgrifiad perffaith o effaith chwa o wynt ar garped o'r blodau yma; bryd hynny, mae'n debyg i donnau môr gwyn. Mae'r blodau yma'n lledaenu'n boenus o araf – rhyw ddwy fedr bob canrif, medd rhai – ac felly'n nodweddiadol o goedwigoedd hynafol, hyd yn oed ganrifoedd ar ôl i'r coed eu hunain gael eu clirio.

★ ★ ★

Chwefror ydi mis grifft llyffant, er bod enghreifftiau o rai wedi'u cofnodi ym mis Ionawr a hyd yn oed ar adegau ym mis Rhagfyr. Yn groes i'r hen gred, tydi pob un oedolyn ddim yn mynd i drwmgwsg dros fisoedd y gaeaf, a dwi wedi dod ar draws rhai o dan hen ddail drewllyd ar waelod pyllau ac o dan gerrig trwm mewn nentydd mynyddig. Beth sy'n bwysig ydi bod y croen yn cael ei gadw'n wlyb gan eu bod yn gallu anadlu drwyddo, a bod y tymheredd yn eithaf cyson. Pan ddaw'r mis yma, fodd bynnag, bydd pob llyffant gwerth ei halen yn anelu am y pwll agosaf i chwilio am gymar. Mi wnaiff *unrhyw* ddarn o ddŵr y tro, o bwllyn bach mewn olion teiars tractor i ddarn bas o lyn mawr, cyn belled nad ydio'n ddŵr symudol. Wedi dweud hynny, dwi wedi dod ar draws grifft mewn llefydd digon gwirion, ac mae bron fel petai'r fam yn ddigon bodlon cael gwared ohono i soseraid o lefrith ar adegau!

Y llyffantod gwrywaidd sy'n cyrraedd gyntaf, a byddant yn canu nerth eu hysgyfaint nes bydd y rhai benywaidd yn cyrraedd. Wedyn mae pethau'n mynd yn wallgof a'r cwffio'n dechrau go iawn! Bryd hynny, mi welwch chi beli o lyffantod, gyda choesau ymhobman, a'r fam druan rywle yn y canol. Yr enillydd ydi'r 'gŵr' sy'n gafael yn dynn rownd gwddw'i gymar gyda'r glud arbennig sydd ar y traed blaen, ac yn cicio'i gystadleuwyr i ffwrdd gyda'i draed ôl cyhyrog. Dim ond wedyn y bydd hi'n dodwy'r grifft ac yntau'n ei ffrwythloni wrth iddo adael ei chorff. Fel rheol, bydd y grifft yn glynu wrth ychydig o dyfiant yn y dŵr; bythefnos yn ddiweddarach, bydd y penbyliaid yn ymddangos.

Hwn yw'r amser peryclaf i'r llyffant, gan y bydd anifeiliaid ac adar o bob math yn anelu am y pyllau bridio i wledda ar yr oedolion a'r grifft. Mi fydda i'n ymweld yn gyson â phwllyn bach yng nghanol mynyddoedd y Berwyn lle bydd llyffantod yn ymgasglu – nid yn unig i wylio'r cwffio a'r caru, ond hefyd i ddarganfod beth yn union sy'n eu llarpio. Dros y blynyddoedd, dwi wedi gweld brain a bwncathod yn bwydo ar y grifft ar hen bostyn ffens cyfagos, ac mae'n anhygoel faint o greaduriaid sy'n gwledda ar y llyffantod i feddwl bod y pwllyn dros dri chant a hanner o fedrau uwchlaw lefel y môr. Dwi wedi gweld tri crëyr glas yno ar yr un pryd, yn ogystal â llwynog, mochyn daear a ffwlbart. Dwi hefyd wedi dod o hyd i olion dwrgi yno, er nad oes dim ond ffos fechan yn arwain i lawr y mynydd tuag at yr afon. Yn amlwg, mae'r llyffantod a'r grifft yn brae holl-bwysig i lawer o anifeiliaid ar adeg pan mae bwyd yn brin.

★ ★ ★

Efallai mai'r crëyr glas ydi *prif* elyn y llyffant, ac mae hwnnw hefyd yn brysur tu hwnt yr adeg yma yn adnewyddu'i nyth a pharatoi at ddodwy. Mae'n anodd credu bod adar hirgoes, trwsgl fel y rhain yn adeiladu nythod anferthol yn uchel i fyny ymysg brigau'r coed, ond dyna'r union lecyn y maen nhw'n ei ddewis. Trwy gydol y mis, byddant yn cario brigau i adnewyddu'r hen nyth ac, yn aml, bydd dwsin neu fwy o nythod gyda'i gilydd. Ar ôl storm, wrth gwrs, mae gofyn adnewyddu unwaith eto, ond erbyn diwedd y mis byddant yn barod i ddodwy.

Rydym yn gwybod bod rhai crëyrfeydd wedi cael eu defnyddio am ganrifoedd ac, yn y Canol Oesoedd, roedd y crachach yn croesawu'r crëyr i nythu ar eu hystadau gan eu bod yn hoff iawn o'u hela gyda hebogiaid! Y dyddiau yma, mae'r crëyr yn cael ei ddiogelu, a phob blwyddyn bydd gwirfoddolwyr yn cyfrif y nythod ac yn anfon y wybodaeth i arbenigwyr y BTO (*British Trust for Ornithology* – does dim enw Cymraeg iddo, hyd yma!). Gelyn mwya'r crëyr ydi gaeaf caled gyda rhew yn gorwedd ar y dŵr am wythnosau. Gan ein bod wedi mwynhau gaeafau mwyn ers dechrau'r wythdegau, mae arwyddion bod niferoedd y crëyr glas yn cynyddu mewn rhai ardaloedd – ond bydd yn siŵr o ddioddef unwaith eto pan ddaw'r gaeaf caled nesaf.

Fel y crëyr, mae'r ydfran hefyd yn nythu mewn heidiau, a phan fyddaf yn cerdded i'r stiwdio radio yn y Drenewydd byddaf yn gorfod troedio'r llwybr yn ofalus o dan nythod yr adar yma. Er bod y gwaith o ailadeiladu'r nythod wedi bod yn mynd ymlaen ers rhai wythnosau bellach, mis Chwefror ydi'r amser gorau i wylio'r bwrlwm. Mae'n ymddangos i mi bod ganddynt ddwy dechneg wahanol o adeiladu nyth. Y gyntaf ydi bod yn weithgar iawn a mynd i chwilio am frigau mân o dan y coed neu dorri brigau i ffwrdd efo'u pigau gwyn cryfion. Yr ail ydi'r dewis diog, sef dwyn brigau o nyth cymydog sydd i ffwrdd yn casglu brigau. Y broblem ydi bod y cymydog, o dro i dro, yn dod yn ôl a dal y lleidr wrthi, ac *wedyn* y mae'r twrw a'r paffio'n dechrau! Erbyn diwedd y tymor adeiladu mae mwy o frigau ar y llawr o dan y coed nag sydd yna yn y nythod eu hunain ond, rywsut neu'i gilydd, bydd pawb yn hapus erbyn amser gori'r wyau.

Ers talwm, ac yn enwedig adeg y ddau Ryfel Byd, roedd y werin yn arfer bwyta cywion ydfrain, a blasus iawn oedden nhw hefyd yn ôl llawer un a arferai wneud hynny. Hyd yn oed heddiw, dwi'n nabod ambell un sy'n mwynhau saethu ydfrain o'i nythod – ond beth yn union ydi'r hwyl gaiff pobol wrth wneud hyn, dwi ddim yn deall. A dweud y gwir, mae'r adar yma (yn wahanol i'r frân dyddyn) yn gwneud llawer o ddaioni, gan eu bod yn bwyta pryfetach sy'n niweidiol i'r ffermwr a'r garddwr. Dim ond mewn ardaloedd lle mae cnydau'n cael eu tyfu y gellir dadlau eu bod yn ddinistriol.

★ ★ ★

Mae 'na hen ddywediad sy'n honni bod unrhyw dymor pan fydd yr eithin yn eu blodau yn dymor da ar gyfer cusanu. Mae'n sicr o fod yn ddywediad da i unrhyw un sy'n hoff o gusanu, gan fod yr eithin yn eu blodau trwy gydol y flwyddyn! Y rheswm am hyn ydi bod dau fath o eithin yn gyffredin yng Nghymru – eithin y mynydd (sy'n blodeuo rhwng Gorffennaf a Rhagfyr) a'r eithin cyffredin (sy'n blodeuo rhwng Ionawr a Mehefin, ond sydd ar ei orau ym mis Mai). Does fawr ddim gwell yn y gaeaf na gweld ochr mynydd yn doreth o liw melyn ar ddiwrnod llwm, a'r gwynt yn chwythu arogl fel cnau coco i'r ffroenau.

Mae'n blanhigyn sy'n tyfu'n gyflym – fel y gŵyr pob ffermwr – ac er ei fod yn cael ei ddinistrio fel chwyn heddiw, lawer dydd yn ôl roedd o'n gynhaeaf pwysig. Defnyddid y planhigyn ei hun fel gwrych trwchus i gadw anifeiliaid i mewn ac i'w cysgodi rhag y gwynt a'r glaw, yn enwedig mewn ardaloedd fel rhai gorllewinol Sir Benfro a Phen Llŷn lle nad oes ond ychydig o goed yn tyfu. Gan fod y pren yn un sy'n llosgi'n wresog tu hwnt, roedd yn cael ei ddefnyddio i danio ffwrn y pobydd ac mae llawer un yn dal i gofio melinau eithin ar Ynys Môn. Roedd y planhigyn ei hun, neu'r tyfiant newydd o leiaf, yn fwyd pwysig i geffylau ac i wartheg, ac felly câi ei dyfu mewn caeau cyfain er mwyn gallu gwneud defnydd ohono ar y fferm, neu i'w werthu i ffermwyr eraill.

Mae'n parhau i fod yn blanhigyn pwysig i fywyd gwyllt, wrth gwrs. Bydd pryfed o bob math yn cael maeth o'r blodau, hyd yn oed ganol gaeaf. Gan ei fod yn fythwyrdd, mae hefyd yn lloches bwysig i adar ac anifeiliaid, ac mae dirywiad mewn niferoedd rhai adar yn gysylltiedig â diflaniad eithin o rai ardaloedd. Un o'r rhain ydi'r fras felen, neu i roi'r enw cyffredin arall arno, melyn yr eithin *(yellow hammer)*. Dwi'n cofio crwydro ledled Sir Benfro, Pen Llŷn ac Ynys Môn pan oeddwn yn hogyn bach yn y chwedegau hwyr, ac roedd eithin a bras yr eithin i'w gweld ym mhobman. Heddiw, mae'r ddau wedi prinhau.

★ ★ ★

Os anelwch chi tuag at rai o glogwyni serth y mynyddoedd y mis yma, cewch weld brwydr anhygoel rhwng dau o'n hadar mwyaf urddasol. Mae'r gigfran, ein brân fwyaf, yn nythu'n gynnar gan adeiladu nyth moethus o frigau a gwlân defaid. Ei hoff nythfan ydi'r clogwyni serth sy'n edrych allan dros dir amaeth, lle bydd yn bwydo ar ysgerbydau, brych defaid ac unrhyw beth arall y gall ddod o hyd iddo. Y broblem ydi bod yr hebog tramor *(peregrine falcon)*, sy'n nythu tua mis yn ddiweddarach, hefyd yn hoff o glogwyni gyda golygfa. Tydi o ddim yn adeiladu'i nyth ei hun, ac mae'n hoff o ddefnyddio hen nythod cigfrain.

Os oes diffyg llecynnau nythu (fel ar rai o'n rhosdiroedd, er enghraifft) bydd y ddau'n brwydro'n frwd er mwyn cael gafael ar y safle nythu – yr aderyn cyflyma'n y byd, sy'n gallu cyrraedd dros ddau gan cilomedr yr awr, yn erbyn y frân fawr gyda'r pig fel morthwyl. Does dim modd dweud pwy sy'n mynd i ennill o un frwydr i'r llall ond, yn fy mhrofiad i, mae gan y gigfran fantais gan mai hi sy'n nythu gyntaf – tuag at ddiwedd y mis, neu ddechrau mis Mawrth, fel rheol.

Dwi'n cofio ymweld ag un chwarel yn agos i Ferthyr lle'r oedd 'na nyth cigfran llawn gyda phump o gywion ynddo, a hwnnw ddim ond tair medr oddi wrth nyth hebog tramor (mewn hen nyth cigfran, wrth gwrs!) lle'r oedd yr iâr yn eistedd ar dri o wyau. Yn ôl pob sôn, llwyddodd y ddau deulu i fagu'u cywion yn llwyddiannus – peidiwch â gofyn imi sut – ond mae'n rhaid bod cryn dipyn o dân gwyllt wedi bod yn y chwarel y mis Chwefror cyn iddyn nhw ddodwy.

Un cwestiwn sy'n codi allan o hyn ydi, pam bod y gigfran yn nythu mor gynnar? Wedi'r cyfan, fe allai'r iâr fod yn eistedd ar ei nyth mewn storm o eira, a hithau bron â chael ei gorchuddio dan flanced wen rewllyd. Er mwyn dodwy ym mis Chwefror, mae'n rhaid i'r pâr arddangos a sefydlu tiriogaeth ar ddiwedd y flwyddyn cynt a thrwy gydol mis Ionawr, ar adeg pan mae adar eraill yn canolbwyntio ar ddod o hyd i fwyd. (Gyda llaw, braf ydi gweld cigfran yn troi ar ei chefn a chroncian yn yr awyr er mwyn 'hysbysebu' ei thiriogaeth!)

Yr ateb syml i'r cwestiwn am amseriad y tymor nythu ydi bwyd. Yn draddodiadol yn yr ucheldir, bydd ffermwyr wedi wyna erbyn mis Mawrth neu fis Ebrill a gall y tywydd fod yn frwnt bryd hynny, gyda'r canlyniad bod canran eithaf uchel o'r ŵyn yn marw. Ar ben hynny, mae'r caeau'n llawn brych a bydd hyd yn oed un neu ddwy o ddefaid wedi mynd i drafferthion wrth eni ac wedi marw ar y rhosdiroedd. Golyga hyn i gyd bod digonedd o fwyd o gwmpas i'r gigfran ar yr adeg pan mae cywion yn y nyth, sef yr adeg pan mae'r angen am fwyd ar ei eithaf.

★ ★ ★

Tua mis Chwefror bydd geifr gwyllt Eryri wedi dod i lawr o'r mynyddoedd uchel i roi genedigaeth i'w rhai bach. Cyflwynwyd y geifr i Eryri yn y ddeunawfed ganrif gan eu bod yn gallu pori'r clogwyni serth oedd yn rhy beryglus i'r defaid. Bryd hynny, defnyddid y gwlân i wneud gwallt gosod, a gwnâi pobol yr ardal gaws a menyn o'u llefrith. Dros y blynyddoedd, mae'r geifr wedi dychwelyd i'r gwyllt, a heddiw mae rhyw hanner dwsin o wahanol lwythi yn ymestyn o'r Rhinogydd i Ben y Gogarth, ac mae'n amlwg bod yr anifeiliaid yn eithaf hapus yno yng nghanol y gwynt a'r glaw.

Bydd y bychod eisoes wedi paffio i sefydlu eu 'harglwydd-iaeth' a chymharu gyda'r rhai benywaidd. Rŵan, ar ddiwedd y gaeaf, mae'r rhai bach yn cael eu geni. Mae hyn wedi'i amseru'n berffaith, achos bydd y myn yn dechrau bwyta gwair wrth i'r tyfiant newydd ymddangos yn y gwanwyn. Fel pob gafr, maen nhw'n sicr iawn ar eu traed ac mi fwytan nhw bron bopeth – rhywbeth sy'n achosi gofid mawr i arddwyr mewn pentrefi fel Beddgelert!

Gan eu bod yn dod i lawr i dir isel, hwn ydi'r amser gorau i fynd i weld y geifr. Mi ydw i lawer gwaith wedi gwylio llwyth wrth ochr y ffordd yn Nant Ffrancon, ger Llynnoedd Mymbyr ac yng Nghwm Bychan. Synnais glywed mai gafr fenywaidd sy'n arwain y llwyth ac nid y bwch cryfaf (fel sy'n digwydd gyda'r ceirw a'r rhan fwyaf o anifeiliaid eraill). Hi sy'n penderfynu pa bryd mae'r ddiadell yn symud ymlaen i borfa newydd, a hi hefyd sy'n penderfynu pa bryd y byddant yn symud yn ôl i fyny i'r tir uchel unwaith eto.

★ ★ ★

Yng nghanol mis Chwefror 1996, trawodd y llong *Sea Empress* greigiau wrth geg aber yr Afon Cleddau. O fewn mis, roedd dros saith deg mil o dunnelli o olew wedi cael ei golli i'r môr a'r llygredd yn ymestyn o Fro Gŵyr i Dyddewi. Ar y pryd, roeddwn i'n gweithio fel Swyddog Adar i'r RSPB a threuliais y pythefnos nesaf yn helpu i gyfri'r adar allan ar y dŵr, a chadw golwg ar lwybr y llygredd. O fewn deufis, roedd cyrff saith mil o adar wedi'u golchi i mewn i'r traethau – môr-hwyaid duon *(common scoters)* yn bennaf – ac mae'n siŵr bod llawer mwy wedi boddi allan ar y môr a'u hysgerbydau wedi cwympo i'r gwaelodion.

Er gwaetha'r drychineb erchyll, bu'r adar yn ffodus. Pam? Wel, achos bod y rhan fwyaf ohonyn nhw wedi cael eu cadw allan ar y môr mawr gan y gwyntoedd cryfion. Bryd hynny, does fiw iddyn nhw ddod yn agos i'r lan gan fod y môr yn rhy arw a bwydo'n amhosibl bron. Petai'r llongddrylliad wedi digwydd fis neu ddau yn ddiweddarach yn y flwyddyn, buasai wedi effeithio ar dros chwarter miliwn o adar.

Llawn mor ddinistriol â'r olew, credwch neu beidio, ydi'r cemegau a ddefnyddir i olchi'r traethau a'r creigiau ar ôl trychineb o'r fath. Mae hwn yn gwenwyno'r creaduriaid ac yn achosi difrod ofnadwy – ond o safbwynt dyn, wrth gwrs, mae'n llawer mwy dymunol na thraeth o driog drewllyd. Un o effeithiau'r glanhau ar ôl damwain y *Sea Empress* oedd lladd llygaid meheryn *(limpets)* ar hyd y creigiau yn Ne Penfro. Mae'r creaduriaid yma'n glynu'n dynn i'r creigiau ar lanw isel ond yn crwydro o gwmpas a phori'r creigiau pan mae'r llanw i mewn. Mae hyn yn golygu nad yw gwymon yn cael cyfle i sefydlu, ond yn dilyn trychineb y *Sea Empress* cafwyd cynnydd mawr yn niferoedd y gwymon gwyrdd. Dychrynodd llawer o bobol yr ardal gan feddwl mai llygredd oedd wedi achosi'r cynnydd ond, cyn pen dim amser, daeth y llygaid meheryn yn ôl a diflannodd y rhan fwyaf o'r gwymon. Mae'n syndod cyn lleied y mae dyn yn gwerthfawrogi'r creaduriaid bach, di-nod yma nes eu bod wedi diflannu.

★ ★ ★

Fel hogyn bach, roeddwn i wastad yn edrych ymlaen i weld cynffonnau ŵyn bach ar y coed cyll. Rhain ydi'r darnau gwrywaidd o'r planhigyn sy'n cynhyrchu'r paill, ac maent yn hongian i lawr fel bod y gwynt yn cael mynd atynt yn haws. Ond faint ohonoch chi sydd wedi edrych yn fanwl ar y goeden i geisio cael golwg ar y blodyn bach coch benywaidd? Mae'n eithaf amlwg, dim ond ichi chwilio amdano, ond wyddwn i ddim byd amdano tan yn eithaf diweddar. Unwaith y bydd y paill wedi ffrwythloni'r blodyn, mae'n cynhyrchu'r gneuen sydd – os caiff lonydd – yn creu coeden newydd.

...lysiau yn croesawu'r ...anwyn.

Barcud a'i gyw.

Hebog tram[...]

Llyffant cyffredin.

Teulu o elyrch y Gogle[...]

Heb ddail ar y coed, mae'n amser perffaith i chwilio am adar sy'n anodd i'w gweld ar adegau eraill o'r flwyddyn. Un o'r rhain ydi'r gnocell fraith fwyaf *(great spotted woodpecker)*, aderyn hardd sy'n ddigon cyffredin trwy'r wlad i gyd. Gan ei bod yn treulio'r rhan helaeth o'i hamser ymysg y brigau uchaf, prin iawn y gwelwch chi'r gnocell fraith fwyaf yn y gwanwyn a'r haf, ond wrth i'r tymor nythu agosáu mae'n dod yn fwyfwy swnllyd ac amlwg. Mae'r ceiliog a'r iâr yn debyg iawn – rhyw gymysgedd o ddu a gwyn – ond os edrychwch chi'n fanwl ar du ôl y pen fe allwch wahaniaethu rhwng y ddau, gan fod smotyn bach coch ar y ceiliog.

Bydd y dringwr bach *(treecreeper)* hefyd i'w weld yr amser yma o'r flwyddyn, ac mae'n hawdd ei adnabod gan ei fod tua'r un maint â'r titw mawr, gyda bol gwyn a chefn brown. Bydd yn chwilio am bryfetach ar foncyffion coed ac yn hedfan i waelod coeden, cyn dringo i fyny'r boncyff ac wedyn hedfan i waelod coeden arall gyfagos. Mewn rhai gwledydd fe'i gelwir yn 'llygoden fach y coed'; mae hwn yn ddisgrifiad perffaith ohono, nid yn unig o achos ei liw, ond hefyd gan ei fod mor brysur. Yr amser yma o'r flwyddyn fe'i gwelir ymysg heidiau o ditws yn symud yn araf ac yn swnllyd drwy'r coed ac ar hyd y perthi.

★ ★ ★

Ar lynnoedd yn yr iseldir, tuag at ddiwedd y mis, cadwch eich llygad yn agored am ddawns yr wyach gopog *(great crested grebe)*. Dawns garu ydi hi, gyda'r ceiliog a'r iâr yn symud ar wyneb y dŵr fel Jayne Torvill a Christopher Dean ar eu gorau. Mae'n ddawns gymhleth iawn sy'n cymryd wythnos a mwy i'w chwblhau, a thros y cyfnod yma bydd y pâr yn aros yn agos iawn at ei gilydd ac yn dewis y llecyn nythu. Rywbryd yn ystod y ddawns, bydd y ceiliog yn cynnig bwyd a defnydd nythu i'r iâr, yn ogystal â sicrhau bod y gwaith pwysig o gymharu yn cymryd lle fwy nag unwaith. Mae'r ddawns hefyd yn ffordd o gryfhau'r cysylltiad rhwng y ddau a chaiff unrhyw wyach dieithr sy'n ddigon gwirion i geisio ymyrryd ei bigo'n ddidrugaredd.

Ganrif a hanner yn ôl, roedd yr wyach yma wedi diflannu o Gymru wrth iddi gael ei hela am ei phlu godidog. Yn y tymor nythu, mae ganddi glwstwr o blu cochfrown o amgylch ei hwyneb, ac yn oes Fictoria fe ddefnyddid y rhain i addurno dillad y menywod bonheddig. Dyma un rheswm pam y ffurfiwyd yr RSPB yn 1889, sef i geisio diogelu'r rhain ac adar eraill a leddid yn eu miloedd yn enw ffasiwn. Yn 1880 cafwyd deddf newydd i'w diogelu, ac ers hynny mae'r adar wedi symud yn ôl i nythu ar hyd a lled yr iseldir – ond Ynys Môn, gyda'i dwsinau o lynnoedd bas, ydi'r cadarnle heb unrhyw amheuaeth.

★ ★ ★

Un planhigyn unigryw sy'n blodeuo ym mis Chwefror ydi lili Maesyfed (*Radnor lily*), blodyn bach melyn sydd i'w weld mewn un cornelyn bach o Ddwyrain Cymru ac yn unman arall ym Mhrydain. Fe'i casglwyd gyntaf ar ddamwain ymysg casgliad o fwsoglau yn 1965. Bryd hynny, roedd rhai o'r botanegwyr yn credu mai lili'r Wyddfa ydoedd, gan fod y ddwy lili'n edrych yn debyg i'w gilydd. Wedyn, yn 1975, darganfuwyd poblogaeth fechan yn tyfu mewn 'pocedi' bach o fwd ar greigiau Stanner, gan Ray Woods o'r Cyngor Cefn Gwlad. Sut ar y ddaear roedd y lili fach wen yma wedi goroesi ar ddarn bach o graig yng nghanol y wlad, a sut y daeth hi o hyd iddo yn y lle cyntaf, a pham y graig arbennig yma ac nid un arall i lawr y lôn? Cymaint o gwestiynau – a dim un ateb!

★ ★ ★

Cerddwch drwy goed llarwydd neu o dan goed gwern yr adeg yma o'r flwyddyn, ac rydych yn siŵr o ddod ar draws haid o adar bach swnllyd yn symud o goeden i goeden. Y pila gwyrdd (*siskin*) sydd yma – aderyn gwyrdd, du a melyn, sydd efallai yn fwy cyfarwydd pan ddaw i'n gerddi yn y gaeaf i fwydo ar y cnau mwnci. Yn wir, maen nhw'n credu bod y pila gwyrdd wedi cael ei ddenu i'r ardd yn y lle cyntaf gan fod y cawelli cnau mwnci yn debyg i'r moch coed y bydd yr adar yn bwydo'n naturiol arnynt.

Yn draddodiadol, roedd y pila'n gysylltiedig â choedwigoedd pîn cynhenid yr Alban, a hyd at ganol yr ugeinfed ganrif roedd yn eithaf anghyffredin fel ymwelydd gaeaf â Chymru. Lledaenodd y boblogaeth drwy gymryd mantais o'r fforestydd conwydd, ac erbyn troad y ganrif roedd pila gwyrdd wedi'i gofnodi yn nythu ymhob sir yng Nghymru. Mae hefyd wedi addasu i nythu mewn parciau a gerddi – unrhyw le lle ceir coed bythwyrdd – a heddiw fe'i gwelir yn aml yn bwydo, nid yn unig yn ein gerddi, ond hefyd ar hadau dant y llew yn ogystal â'r moch coed traddodiadol. Tu allan i'r tymor nythu bydd adar estron yn hedfan i mewn o'r Cyfandir, a dyma'r amser pan fyddant yn heidio gyda'i gilydd o goeden i goeden.

★ ★ ★

Bydd un o blanhigion mwyaf rhyfeddol cefn gwlad Cymru yn blodeuo rŵan, sef crafanc yr arth ddrewllyd *(stinking hellebore)*. Mae'n cael ei gysylltu â choedwigoedd sy'n tyfu ar garreg galch yn bennaf, a chan ei fod yn fythwyrdd mae'n amlwg iawn yn y gaeaf. Nid yw'n gyffredin yma o gwbl a dim ond dwywaith yr ydw i wedi'i weld yn yr hen Sir Drefaldwyn. Mae'r blodau'n wyrdd golau ac, heb edrych yn agos, mae'n anodd gwahaniaethu rhyngddynt a'r dail o'u cwmpas. Yn yr hen ddyddiau byddai mamau yn rhoi'r dail i'w plant ar gyfer y llyngyr – roedd angen bod yn ofalus, fodd bynnag, gan fod y planhigyn yn un gwenwynig. Heb ryw fath o ganllawiau ar faint i'w ddefnyddio, fuaswn i ddim yn ffansïo'i roi i'r plant acw!

★ ★ ★

Planhigyn sy'n dechrau ymddangos ym mis Chwefror, ac yn gyffredin iawn mewn rhai ardaloedd, ydi bresych y cŵn *(dog's mercury)*. Fel llawer o'r blodau cynnar, mae'n gysylltiedig â llecynnau cysgodol fel coedwigoedd a pherthi, a bydd yn ffynnu dros ddau fis nesaf y flwyddyn cyn i ddail y coed ymddangos. Mae'n blanhigyn digon di-nod, gwyrdd tywyll ei liw, a thua tri deg centimedr o daldra gyda blodau bach gwyrdd golau (a'r blodau gwrywaidd a benywaidd ar blanhigion gwahanol). Mae hwn eto'n wenwynig iawn ac mae llawer o achosion lle bu pobol yn sâl ofnadwy wedi bwyta'r dail.

Gall bresych y cŵn fod yn broblem i blanhigion eraill, gan ei fod yn lledaenu'n gyflym ac yn tyfu mor drwchus nes ei fod yn cysgodi blodau sydd angen golau ac yn eu lladd. Mae'n hoff iawn o goedwig ynn, ac er ei fod yn ffynnu mewn coedwigoedd hynafol mae'n hollol fodlon tyfu mewn coedwigoedd collddail llawer mwy diweddar, lle bydd yn lledaenu trwy ddefnyddio gwreiddiau tanddaearol arbennig a elwir yn rhisomau.

Mawrth

Ar Fawrth y cyntaf – dydd gŵyl ein nawddsant ni'r Cymry – bydd llawer ohonom yn gwisgo cenhinen Bedr, ein blodyn cenedlaethol. Mae'r blodau melyn yma'n olygfa ddigon cyfarwydd ledled y wlad, o dorlannau afonydd i goedwigoedd i ochrau ffyrdd a llwybrau, yn ogystal â gerddi. Fel yr eirlys, planhigion wedi'u plannu'n fwriadol yn gymharol ddiweddar ydi'r rhan fwyaf ohonyn nhw, ac ychydig iawn o'r cennin Pedr cynhenid sydd wedi goroesi yng Nghymru.

I fynd i weld y cennin Pedr gwyllt Cymreig rhaid anelu tuag at dde-ddwyrain y wlad, yn enwedig godrau'r Mynydd Du yn yr hen Sir Fynwy. Ond doedd hi ddim fel hyn ers talwm, achos, ddwy ganrif yn ôl, roedd hwn yn blanhigyn cyffredin iawn dros rannau helaeth o Gymru – yn wir, arferai ffermwyr mewn rhai mannau wneud pres drwy werthu'r blodau ar eu tir, cyn troi at y gwaith mwy traddodiadol o gynaeafu gwair i'r anifeiliaid. Erbyn tridegau'r ganrif ddiwethaf, fodd bynnag, roedd wedi prinhau; bryd hynny, byddai cennin Pedr o siroedd Henffordd a Chaerloyw yn cael eu gwerthu yn nhrefi De Cymru ar gyfer yr hen arferiad o roi blodau ar feddi ar Sul y Blodau.

Mae'r cennin Pedr gwyllt Cymreig yn flodyn hardd gyda phetalau melyn yn amgylchynu utgorn oren, ac yn blanhigyn gweddol fyr (yn wahanol i rai o'r cennin Pedr estron sydd wedi cael eu plannu trwy'r wlad). Ond mae 'na *un* is-rywogaeth o'r enw cenhinen Dinbych-y-pysgod (ac sy'n tyfu yn Ne-orllewin Cymru), sydd â mwy o hawl na'r un arall i gael ei gydnabod fel ein blodyn cenedlaethol, yn ôl barn sawl arbenigwr. Fe'i darganfuwyd ar ddiwedd y ddeunawfed ganrif. Yn wahanol i'r genhinen Bedr wyllt, mae blodyn hon yn felyn i gyd.

Bu cryn dipyn o ddadlau ynglŷn â tharddiad y planhigyn

(mae rhai, er enghraifft, yn honni ei fod wedi cael ei fewnforio o'r Iseldiroedd yn y ddeuddegfed ganrif), ond does yr un genhinen Bedr gyffelyb yn unman arall yn Ewrop.

Yn anffodus, mae'r cennin Pedr yma hefyd wedi prinhau, y tro yma o achos gor-gasglu yn y ddeunawfed ganrif ac, yn fwy diweddar, yn sgil dinistrio'u cynefin ar gyfer amaethyddiaeth. Ond yng nghyffiniau mynyddoedd y Preselau mae 'na un neu ddau lecyn tawel lle mae cennin Dinbych-y-pysgod wedi goroesi er gwaethaf popeth.

★ ★ ★

Un anifail sydd bron wedi diflannu o gefn gwlad dros y chwarter canrif ddiwethaf ydi'r ysgyfarnog, neu'r sgwarnog. Ers talwm, roedd gweld sgwarnog yn y caeau yn rhan o fywyd pawb yng nghefn gwlad. Ar ben hynny, os oedd milgi heini ar y fferm, gwnâi ambell i sgwarnog bryd arbennig o flasus o dro i dro! Heddiw, ar wahân i un neu ddwy warchodfa, mewn coedwigoedd conwydd agored ar yr ucheldir y bydda i'n eu gweld amlaf. Er bod yna, erbyn heddiw, bolisïau newydd o 'agor i fyny' y coedwigoedd a gadael digon o lecynnau'n agored i'r cyhoedd (a'r hen sgwarnog hithau wedi gallu manteisio ar hynny), mae hi wedi prinhau'n arw yn ei chartref traddodiadol wrth i amaethu cymysg ddiflannu o'r tir.

Y mis yma ydi amser y *mad March hare*, pan fydd yr anifeiliaid i'w gweld yn bocsio'i gilydd ar y caeau cyn i'r tyfiant dyfu a'u cuddio. Mae llawer un yn credu mai dau anifail gwrywaidd sy'n paffio am yr hawl i ennill cymar, ond y gwir ydi mai'r anifail benywaidd sy'n dwrdio a bocsio'r un gwrywaidd gan nad yw hi'n barod i'w dderbyn. Bydd hyn yn dal i ddigwydd tan yr hydref ond bryd hynny maent yn llawer llai amlwg ymysg yr holl dyfiant.

I edrych arni, wrth gwrs, mae'r sgwarnog yn ddigon tebyg i'w pherthynas agos y gwningen, ond bod ganddi glustiau a choesau ôl hirach. Bydd yn bwydo ar wair a llysiau eraill. Mae'n rhoi genedigaeth i rhwng dau a phedwar o rai bach yn y gwanwyn ac yn eu bwydo'n bennaf gyda'r hwyr ac yn y bore bach. Yn ystod y dydd, mae'n gadael iddynt swatio ymysg y tyfiant ac i ddibynnu ar eu cuddliw perffaith. Gall roi genedigaeth eto yn yr haf os oes digonedd o fwyd ar gael, ac mae rhai bach wedi cael eu cofnodi hyd yn oed ar ddechrau ambell *aeaf* go dyner.

O dro i dro, dwi wedi codi sgwarnog o'i gwâl wrth gerdded y cŵn. Nid yw'n rhedeg tan y funud olaf ac wedyn mae'n mynd igam-ogam ar garlam er mwyn drysu unrhyw anifail rheibus sy'n ei dilyn. Dyw'r wâl ddim mwy na phant yn y tyfiant lle bydd hi'n gorwedd (â'i phen tuag at allan!) nes bydd hi'n dechrau nosi, pan fydd hi'n saffach iddi fynd i chwilio am fwyd.

Ar warchodfa Dolydd Hafren ger y Trallwm, dwi wedi gweld dros ddwsin yn rhedeg ar ôl ei gilydd a chwffio, ond, yn anffodus, eithriad ydi nifer fawr fel hyn erbyn heddiw.

★ ★ ★

Gadewais Gymru am dair blynedd yn 1980 er mwyn astudio yn y coleg yn Llundain. Er 'mod i'n fachgen cefn gwlad, cefais hwyl a sbri gyda'r cwrs, y rygbi a'r merched! Ond, bob mis Mawrth, byddwn yn hiraethu'n ofnadwy am fynyddoedd y Berwyn a chri'r gylfinir. Does fawr ddim byd gwell na cherdded i fyny rhyw gwm anghysbell ym mynyddoedd Cymru a darganfod bod y gylfinir yn ôl yn ei thiriogaeth. Mae'n arwydd bod y gwanwyn ar ei ffordd o'r diwedd.

Hyd at y chwedegau, roedd y gylfinir yn gyfarwydd i bob ffermwr yn y wlad. Bryd hynny, fe nythai mewn caeau gwair yn ogystal â'r gweundiroedd uchel. Ond wrth inni gefnu ar dorri gwair yn hwyr yn yr haf a throi i dorri silwair deirgwaith y flwyddyn, cafodd miloedd o nythod eu dinistrio cyn bod y cywion yn cael amser i adael. Yn hogyn bach, dwi'n cofio rhedeg ar ôl y cywion chwim, coes-hir o un llecyn gwlyb i un arall, ond yn ardal Llanwddyn heddiw (fel bron bobman arall yn y wlad) mae'n aderyn prin. Yn wir, amcangyfrir bod bellach lai na dwy fil o barau yng Nghymru – canran fechan o beth oedd i'w weld yma ugain mlynedd yn ôl.

★ ★ ★

Aderyn cyfarwydd arall ar dir amaeth gynt oedd y gornchwiglen (lapwing). Ar lawer o ffermydd, hyd heddiw, mae ambell i gae yn cael ei alw'n 'gae y cornchwiglod', er bod yr adar yn aml wedi hen ddiflannu. Yn 1910, mae hanes Doethur ym Mhrifysgol Bangor a dalodd am ei ysgoloriaeth trwy gasglu wyau cornchwiglod a'u hanfon ar y trên i Lundain i'w gwerthu. Adeg yr Ail Ryfel Byd, a hyd at y pumdegau, roedd yr wyau'n bwysig iawn ar amser pan oedd bwyd yn brin; bryd hynny, roedd yr adar mor niferus fel nad oedd casglu'r wyau cynnar (fel bod yr iâr yn gallu ailddodwy) yn cael unrhyw effaith ar y boblogaeth.

Yn nes i ganol y mis, cyn belled â bod y tywydd yn fwyn, bydd y cornchwiglod yn dechrau arddangos. Fel rheol, byddant yn dewis caeau gwlyb, yn enwedig rhai sydd wedi cael eu sathru gan wartheg neu gaeau sydd wedi cael eu haredig. Mae'n wefr i weld y ceiliogod yn arddangos uwchben y caeau – yr hedfan igam-ogam a'r alwad 'pee-wit' sy'n rhoi i'r gornchwiglen un o'i henwau Saesneg. Does fawr o nyth yn cael ei adeiladu, dim ond pant bach ar yr wyneb gydag ychydig o wair, ac yma y bydd yr iâr yn dodwy ei thri neu bedwar ŵy gwyrdd hefo smotiau duon.

Yn wahanol i'r gylfinir, mae'r gornchwiglen yn nythu mewn caeau agored sydd â chyn lleied â phosib o dyfiant ynddyn nhw, fel y gall weld unrhyw anifail rheibus o bell. Unrhyw arwydd o berygl, a bydd y fam yn codi oddi ar yr wyau yn syth ac yn cerdded i ffwrdd gan ffugio bod anaf ar ei aden. Yn naturiol, bydd y llwynog neu'r wenci yn ei dilyn gan feddwl bod pryd hawdd i'w gael, ond unwaith y bydd hi'n fodlon bod y nyth yn saff bydd y fam yn hedfan ymaith. Does dim gobaith gan yr anifail i ddod o hyd i'r wyau, gan fod y cuddliw'n berffaith – fel dwi wedi darganfod lawer gwaith wrth chwilio am eu nythod!

Yn wahanol i gywion adar duon neu'r robin goch, bydd cywion y gornchwiglen yn gadael y nyth yn syth ar ôl deor o'r ŵy ac yn anelu at y tyfiant agosaf gyda'u rhieni. Bron i fis yn ddiweddarach, os byddant yn ddigon ffodus i osgoi'r holl elynion sy'n chwilio am damaid o fwyd, byddant yn hedfan am y tro cyntaf ac yn anelu at yr iseldir i dreulio'r gaeaf. Bryd hynny, fel gyda'r gylfinir, bydd adar o'r Cyfandir yn chwyddo'r boblogaeth gynhenid, ac ar gaeau arfordirol Ginst yn Sir Gaerfyrddin dwi wedi gweld dros saith mil wedi ymgasglu yno yn y gaeaf.

★ ★ ★

Dros ddwy fil o droedfeddi uwchlaw lefel y môr yng Nghwm Idwal, dyw'r tywydd ddim, fel rheol, yn braf ym mis Mawrth. Yn wir, gall fwrw glaw neu eira am ddiwrnodau ac, ar adegau, ni fydd y tymheredd chwaith yn codi'n uwch na'r rhewbwynt am wythnos gyfan. Serch hynny, yma ac acw hyd y creigiau llwm, ac ar y tywydd mwyaf difrifol, bydd blodyn bach piws yn ymddangos. Hwn ydi'r tormaen cyferbynddail – neu i roi iddo'i enw mwy cyffredin, y tormaen porffor *(purple saxifrage)*.

Y tro cyntaf i mi ei weld, roeddwn yng nghwmni Hywel Roberts, warden Yr Wyddfa a Chwm Idwal dros Gyngor Cefn Gwlad Cymru (y *CCW*). Ar ôl cerdded am dros awr yn chwilota ymysg y creigiau ar ddiwrnod cymharol braf ond oer, dyma olygfa anhygoel o'n blaenau: y planhigyn bach Arctig-Alpaidd yma'n 'hongian' ar lecyn hollol anghysbell, allan o afael dyn ac allan o gyrraedd cegau'r defaid a'r geifr. Beth synnodd fi fwyaf oedd lliw porffor, llachar y blodau ymysg y llwydni – i feddwl bod hwn yn aml yn blodeuo o dan droedfedd o eira trwchus!

O blanhigyn prin, mae ganddo ddosbarthiad eithaf eang – o'r Bannau i Gadair Idris a hyd at ambell i glogwyn o amgylch yr Wyddfa a'r Glyderau. Mae hefyd i'w weld yn Ardal y Llynnoedd (yng Ngogledd Lloegr) ac ar ucheldir yr Alban, ac i fyny yn yr Arctic pell mae'n carpedu'r ddaear mewn mannau, ac yn un o hoff fwydydd sgwarnog y mynydd. Gan bod y *CCW* a'r Ymddiriedolaeth Genedlaethol bellach wedi cau'r defaid allan o Gwm Idwal, tybed a welwn ni'r planhigyn bach tlws yma'n fôr o liw ar fynyddoedd Eryri yn y dyfodol agos?

★ ★ ★

Planhigyn llawer mwy cyfarwydd, sy'n blodeuo ar ddechrau'r mis hwn, ydi'r friallen. Dwi'n siŵr bod pawb yn nabod y 'llygad' bach melyn golau yma'n dda, nid yn unig oherwydd y gwelwn ni o ar ochrau'r ffyrdd bron ym mhobman, ond hefyd gan ei fod yn flodyn cyffredin dros ben yn ein gerddi. Dwi'n hoff iawn o'r enw Saesneg *primrose* sy'n dod o'r Lladin *prima rosa,* sef rhosyn cynta'r gwanwyn.

Mae blodau fel hyn yn hollbwysig i lawer o'r pryfed cynnar, fel y gwenyn a'r cacwn. Bydd y frenhines wedi goroesi'r gaeaf yn rhywle sych lle mae'r tymheredd yn gyson, ac yn ymddangos y mis yma. Y peth cyntaf ar ei meddwl ydi bwyd, a'r lle gorau i'w gael ydi ar garped melyn o friallu!

Fel y genhinen Bedr, dwi'n credu bod briallu wedi dioddef o'u gor-gasglu gan bobol. Pan oeddwn i'n fachgen bach, roedd hwn yn flodyn cyffredin iawn ar hyd cloddiau'r lonydd bach ac yn cael ei gasglu'n gyson i'w drawsblannu i'r ardd. Dros gyfnod, heb unrhyw newid amlwg yn y tyfiant na'r dull o reoli'r cloddiau, diflannodd o lawer ardal. Dwi'n falch o weld bod agweddau pobol tuag at gasglu blodau wedi newid erbyn hyn, a gobeithio y gwelwn gynnydd yn niferoedd y briallu ar hyd ochrau'n ffyrdd unwaith eto.

★ ★ ★

Ym mis Mawrth, bydd llawer o adar yn dechrau adeiladu nythod, a dwi'n dal i wirioni ar y ffordd y mae aderyn yn gallu creu rhywbeth mor berffaith efo un pig bach – allwn ni ddim gwneud y gwaith efo dwy law! Cyn diwedd y mis bydd adar duon a bronfreithiaid wedi gorffen eu nythod ac wedi dodwy wyau, ond mae llawer o adar eraill wrthi hi hefyd. Un ohonynt, sy'n adeiladu nyth siâp powlen, ydi'r robin goch – ond bydd y robin yn gofalu cuddio'i nyth yn ofalus ac yn eistedd yn dynn arno. Bydd y dryw bach, ar y llaw arall, yn adeiladu pelen o nyth, a druan o'r ceiliog gan ei fod yn adeiladu tua hanner dwsin ar y tro cyn tywys yr iâr o'u cwmpas iddi hi gael gwneud y penderfyniad pa un i'w ddefnyddio. Rhaid mynd ati wedyn i roi 'cwpan' o wallt a phlu i ddal yr wyau, cyn bod yr iâr yn *meddwl* mynd ati i ddodwy.

Mae'n bosib gwahaniaethu rhwng y gwahanol nythod drwy edrych ar y defnydd. Bydd y robin yn rhoi cryn dipyn o fwsogl yn ei nyth fel rheol, a lle bo'r fronfraith yn defnyddio mwd y tu mewn i'r fowlen bydd aderyn du yn rhoi un haen denau o wair ar ben y mwd. Ymhlith y gorau o'r nythod i gyd y mae un y bioden, gan fod to o frigau mân uwch ei phen. Ond y meistr, y nyth sy'n ennill y fedal aur, ydi nyth y titw gynffon hir!

Fel nyth y dryw, mae un y titw gynffon hir *(long-tailed tit)* yn belen fach, ond wedi'i wneud o fwsogl a gwlân yn bennaf. Bydd y titws dawnus yma'n defnyddio dros fil o blu bach, rhai wedi'u casglu yma ac acw, eraill wedi'u dwyn o hen nythod a rhai hyd yn oed wedi'u tynnu o gyrff adar wedi marw. Wedyn, byddant yn ychwanegu cen ar y tu allan (fel cuddliw) ac yn gweu gwe pry' cop i mewn i'r nyth. Daw'r rheswm am hyn yn amlwg yn nes ymlaen yn y tymor. Pan fydd yr iâr yn dodwy hanner dwsin o wyau mae digon o le yn y nyth, ond pan fydd hwnnw'n llawn cywion buasai'n amhosibl cael oedolyn i mewn i'w cadw'n gynnes oni bai bod y gwe pry' cop yn caniatáu i'r nyth ymestyn (yn debyg iawn i'r defnydd 'lycra'). Ac mae dyn yn meddwl ei fod *o* mor glyfar…

★ ★ ★

Mi fûm i'n byw ger Aberhonddu am gyfnod a byddwn yn arfer mynd at yr Afon Edw, ger pentref Aberedw, tua diwedd mis Mawrth er mwyn ceisio dod o hyd i gimwch yr afon *(crayfish)*. Mae'n anifail tebyg iawn i gimwch y môr *(lobster)* ond ei fod yn llai ac yn frown golau ei liw. Wrth i ddŵr yr afon ddechrau cynhesu bydd yn chwilota ar waelodion yr afon am ei brae. Hyd at y pumdegau roedd yn gyffredin mewn llawer o ardaloedd, yn enwedig lle'r oedd afonydd yn rhedeg dros galchfaen, ond wrth inni lygru'n dyfroedd mae hwn hefyd wedi prinhau. Yr un mor ddinistriol ydi'r cimychiaid dŵr estron o'r Unol Daleithau sydd wedi dianc i'n hafonydd. Nid yn unig maent yn fwy cystadleuol na'r anifail cynhenid ond maent hefyd yn cario ffwng sy'n lladd y cimwch dŵr Cymreig.

O achos yr holl bwysau newydd yma ar ein hafonydd, mae'r cimwch dŵr cynhenid wedi diflannu o dros naw deg pump y cant o'i hen gynefinoedd. Yn ddiweddar, i geisio gwrthweithio hyn, cafodd ei ddiogelu dan y gyfraith. Yn anffodus, mae'n bur debyg bod hyn i gyd wedi dod yn rhy hwyr achos pan aeth tri ohonom yn ôl i'r Afon Edw fis Mawrth diwethaf, doedd dim un anifail i'w weld yno.

★ ★ ★

Yn aml iawn, byddaf yn cael llythyrau a galwadau ffon yn gofyn imi sut mae mynd ati i ddysgu caneuon y gwahanol adar. Bydd llawer i adarydd profiadol yr ydw i'n ei nabod yn gwrando ar dapiau neu CD cyn mentro allan i'r maes, ac yn sicr mae hyn yn gallu bod o gymorth mawr. Ond yn fy marn i, does dim byd gwell na mynd allan gyda sbienddrych a gwrando ar yr adar yn y gwyllt. Yr amser gorau i ddechrau gwneud hyn ydi mis Mawrth, gan nad oes dail ar y coed i guddio'r adar a chan nad ydi'r rhan fwyaf o'r rhai mudol wedi dychwelyd eto o Affrica.

Dechreuwch gyda'r rhai mwyaf cyffredin, fel cân swynol yr aderyn du a chân drist y robin goch. Gwrandwch arnyn nhw bob bore, a chyn pen dim mi fyddwch yn eu hadnabod! Mae cân y fronfraith yn un hawdd i'w hadnabod gan ei bod yn ailadrodd popeth, ac yn mynd ymlaen ac ymlaen ac ymlaen fel hen wreigan ddryslyd. Unwaith y byddwch wedi dysgu cân yr adar cyffredin, mi fyddwch yn barod am yr adar mudol. Yr aderyn mudol cyntaf i ddychwelyd i'r goedwig ydi telor bach melynwyrdd digon di-nod o'r enw siff-saff, ac os gellwch gofio'r enw gellwch hefyd gofio'r gân gan mai 'siff-saff' ydi galwad yr aderyn yma. Yna cofiwch 'gw-cw' y gog – a dyna chi hanner ffordd i fod yn arbenigwr!

★ ★ ★

Efallai mai'r siff-saff (*chiffchaff*) ydi'r aderyn cyntaf i ddychwelyd o Affrica i'n coedwigoedd, ond mae dau aderyn o gynefinoedd gwahanol yn cyrraedd yn ôl ychydig ddyddiau ynghynt. Y cyntaf i gyrraedd ardal y Drenewydd yma ydi gwennol y dorlan (*sand martin*), sydd yr un maint a'r un siâp â gwennol y bondo ond sy'n frown golau a gwyn, nid glas a gwyn. Yn nes ymlaen yn y gwanwyn byddant yn nythu yn eu dwsinau mewn tyllau yn y dorlan, a phob twll yn mynd tua medr i mewn i'r pridd meddal. Ar ôl llifogydd y gaeaf mae'n rhaid ail dyllu bob gwanwyn trwy hyrddio'u hunain at y twll, dro ar ôl tro, gan dynnu allan ychydig o bridd gyda phob gwthiad.

Pan oeddwn yn tyfu i fyny yng nghesail mynyddoedd y Berwyn, tinwen y garn *(wheatear)* oedd yr ymwelydd haf cyntaf i ddychwelyd i'w gynefin ymysg waliau cerrig yr ucheldir. Lle mae cefn y ceiliog yn las golau mae'r iâr yn frown, ond mae llinell wen dros y llygad a phen ôl gwyn llachar gan y ddau. Bob tro y bydda i'n gyrru ar y ffordd gefn o Lanwddyn i'r Bala, mi fydda i'n gweld dwsinau ohonyn nhw'n rhuthro o flaen y car i garreg gyfagos er mwyn hysbysebu eu tiriogaethau. Yn wir, tinwen y garn ydi un o'r ychydig adar sydd wedi manteisio ar y cynnydd sylweddol yn nifer y defaid ar yr ucheldir, gan ei fod yn hoff o borfa isel lle gall ddod o hyd i bryfetach a mwydod trwy ddefnyddio'i lygaid craff. Mae'r nyth wedi'i guddio dan bentwr o gerrig neu mewn wal, ymhell o afael dyn, ac yno y bydd yn dodwy ac yn magu, cyn hedfan dros bedair mil o filltiroedd yn ôl i Affrica pan ddaw'r hydref.

★ ★ ★

Y mis yma, bydd aml i daith mewn ardal goediog yn golygu'n bod yn cerdded ar garped gwyrdd tywyll o graf y geifr *(wild garlic)*. Dwi'n siŵr y bydd rhai ohonoch yn defnyddio'r fersiwn sy'n cyfateb i'r enw Saesneg yn y Gymraeg hefyd – garlleg gwyllt – sy'n disgrifio arogl hyfryd y planhigyn. Mae'n debyg bod modd defnyddio'r dail i goginio ac, yn ôl y sôn, maen nhw'n rhoi blas garlleg ysgafn i'r bwyd – ond rhaid gofalu casglu'r dail tra byddan nhw ar eu gorau, cyn i'r blodau gwyn ymddangos ym mis Ebrill. Ar hyd llecynnau mwyaf cysgodol y llwybr sy'n dilyn hen gamlas Trefaldwyn, mae'r garlleg gwyllt yn ffynnu ac yn tynnu dŵr o ddannedd ambell gerddwr, dwi'n siŵr.

Mae pawb yn gyfarwydd â'r aderyn du, neu'r fwyalchen, ond tybed faint ohonoch a welodd fwyalchen y mynydd *(ring ouzel)* erioed? Fel y siff-saf, ymwelydd haf ydyw yma, ond bydd yn nythu ar lethrau ucheldir Cymru a threulio'r gaeaf yn bennaf ym mynyddoedd yr Atlas yng Ngogledd Moroco. Yn wahanol i dinwen y garn, mae'n nythu ar lethrau grugog ac yn bwydo ar fwydod mewn caeau gerllaw. Mae'r un maint â'r aderyn du ond mae gan y fwyalchen hon goler wen fel ficer, a phan ddaw'r ceiliog yn ôl i'r wlad yma (yng nghanol y mis) bydd yn canu'n swynol am ddyddiau er mwyn denu cymar.

Er ei fod wedi prinhau'n arw, mae'r aderyn hwn yn dal ei dir mewn rhannau o Gymru fel Bannau Brycheiniog a'r Rhinogydd. Mi fydda i'n gwneud taith arbennig i wrando arno ac i'w weld ar ddechrau'r gwanwyn, naill ai i warchodfa Craig Cerrig Gleision wrth ymyl yr A470 ar y ffordd i fyny i'r Storey Arms, neu ym Mwlch y Ddwy Elor, sef y darn uchaf o Gwm Pennant. Yng 'nghwm tecaf y cymoedd', yno y bydda i am hydoedd yn bwyta brechdanau ac yfed fflasgiad o de poeth tra'n gwylio hebogiaid yn hela, a gwrando ar gân yr ymwelydd prin yma o Ogledd Affrica yn atseinio o gwmpas y cwm – nefoedd!

★ ★ ★

Wrth yrru ar hyd ffyrdd Cymru y mis yma, mae'n bosib y dewch ar draws arwyddion sy'n eich rhybuddio bod llyffantod dafadennog *(toads)* o gwmpas. Os ydi hi'n noson wlyb, yna arafwch, achos rhybudd ydi'r arwydd bod yr amffibiaid yma'n gwneud eu ffordd i byllau i fridio. Yn wahanol i'r llyffant *(frog)*, mae croen y creadur yma'n sych ac wedi'i orchuddio gan ddefaid, sy'n esbonio'i enw. Bydd yn treulio'r gaeaf naill ai o dan frigau a dail mewn coedwig, neu dan gerrig yn yr ardd neu unrhyw le arall tywyll a sych lle mae'r tymheredd yn eithaf cyson. Pan ddaw diwedd Mawrth, fis yn ddiweddarach na'r llyffant, bydd yn codi o'i drymgwsg ac yn anelu tuag at bwll.

Yn wahanol i'r llyffant unwaith eto, ni wna *unrhyw* bwll y tro. Lle mae ei gefnder yn dewis unrhyw beth sydd â dŵr ynddo, mae'r llyffant dafadennog yn dewis pyllau eithaf dwfn. Efallai bod tymheredd dŵr pyllau bas y llyffant yn uwch (sy'n golygu bod y grifft a'r penbyliaid yn datblygu'n gyflymach) ond mae hefyd yn golygu bod perygl i'r pwll sychu'n gyfan gwbwl a'r penbyliaid i gyd farw. Does fawr o berygl i hyn ddigwydd gyda'r llyffant dafadennog, gan y cymer hi fisoedd cyn i'r rhai bach adael y dŵr i aeafgysgu. Nid dodwy pelen o grifft y mae'r creadur yma chwaith, ond cortyn hir o wyau dwbl wedi'u clymu o amgylch y tyfiant o dan y dŵr.

Amddiffynfa ydi'r defaid ar ei groen gan eu bod yn llawn gwenwyn. I wneud pethau'n waeth i unrhyw anifail rheibus sydd am larpio'r llyffant dafadennog, mae llawer mwy wedyn o wenwyn yn cael ei ryddhau o ddwy chwarren y tu ôl i'r glust. Dyma pam mae cŵn sydd wedi ceisio brathu'r creadur bach yma'n swp sâl am oriau wedyn.

Mae'n ffrind mawr i'r garddwr – un o'i ffrindiau pennaf, a dweud y gwir, gan ei fod yn bwydo gyda'r nos ar bob math o greaduriaid bychain sy'n gwneud llawer o niwed i blanhigion yr ardd. Un o'i hoff brae ydi gwlithod (*slugs*) ond fe fwytith fwydod a phob math o bryfed hefyd. Yng ngolau dydd, bydd wedi diflannu o dan y cwt ar waelod yr ardd neu i mewn i'r wal gerrig, i aros iddi nosi unwaith eto. Felly, does dim angen plaladdwyr arnoch chi arddwyr, dim ond digonedd o lyffantod dafadennog.

Mae cefnder agos i'r anifail yma wedi cael ei ryddhau i'r gwyllt mewn un safle yng Nghymru ar ôl absenoldeb o dros ddeng mlynedd ar hugain. Llyffant y twyni (*natterjack toad*) ydi hwn, a hyd yn oed trwy Brydain gyfan mae'n greadur prin. Mae'n hollol ddibynnol ar byllau tymhorol – fel arfer mewn twyni – i ddodwy ei wyau, a chan fod llawer o'r rhain yn sychu os yw'n wanwyn cynnes gall fod yn drychinebus i'r boblogaeth. Fel y llyffant dafadennog, mae ei gorff wedi'i orchuddio â defaid, ond mae'n llai na'i gefnder ac mae ganddo linell felen amlwg i lawr ei gefn. Dwi wedi bod yn ddigon ffodus i gael mynd allan gydag arbenigwyr i'w gweld yn y safle cyfrinachol yng Ngogledd Cymru, a dwi'n falch iawn o fod wedi cael gweld bod un o'n creaduriaid colledig wedi dychwelyd.

★ ★ ★

Trwy gydol y mis bydd y barcud coch – aderyn cenedlaethol Cymru – wedi bod yn brysur iawn yn paratoi at y tymor nythu. Cychwynnodd y paratoadau ar ddiwrnodau braf ym mis Chwefror ond y mis yma y bydd pethau'n prysuro. Cyn meddwl am ddodwy mae'n rhaid hysbysebu tiriogaeth, ac i wneud hyn bydd y pâr yn cylchu'n araf gyda'i gilydd. Os oes parau cyfagos, dônt i gyd at ei gilydd yn agos at ffin eu tiriogaethau ac ambell dro bydd cwffas fer er mwyn sefydlu'n union lle mae ffin y naill a'r llall yn gorffen. Gan eu bod fel rheol yn defnyddio hen nythod dro ar ôl tro, mae gofyn adnewyddu'r nyth ac yna rhoi gwlân tu mewn i'r cwpan. Dwi'n cofio gwylio pâr yn ardal Machynlleth un tro yn adnewyddu'r nyth trwy'r bore, yna'n codi i'r awyr las gyda'i gilydd. Pan oedd y ddau fawr mwy na smotyn, gafaelodd un yng nghrafangau'r llall ac fe ddechreuon nhw gwympo fel pelen, nes iddynt bron drawo'r goeden llarwydd lle'r oedd y nyth.

Ddiwedd y mis, neu ar ddechrau mis Ebrill, bydd yr wyau'n cael eu dodwy – dau neu dri fel arfer, ond ar adegau prin bydd yn un neu'n bedwar. Dyma'r adeg pan mae'r nyth o dan fygythiad, naill ai ar adegau o dywydd gwlyb parhaol neu oddi wrth gasglwyr wyau. Fel Swyddog Adar i'r *RSPB* am bron i bymtheg mlynedd, treuliais fisoedd yn ceisio diogelu nythod barcutiaid rhag y lladron yma, yn aml heb unrhyw lwyddiant. Does gen i ddim syniad pam eu bod ar ôl yr wyau gan nad oes unrhyw werth ariannol iddyn nhw. Mae'n 'hobi' sy'n dyddio o oes Fictoria (pan oedd pobol yn casglu unrhyw beth a phopeth) ac amcangyfrir bod dros bum cant o gasglwyr wyau yn brysur ym Mhrydain heddiw. Po brinnaf yr aderyn, tebycaf y bydd o gael ei erlid. Doedd 'na ddim llawer o ddim oedd yn brinnach na'r barcud coch tan y degawd diwethaf yma.

fr gwyllt.

Cigfran mewn dawns garu.

rnchwiglen.

Tormaen porffor.

Tinwen y garn.

Clwstwr o friallu.

Unwaith mae'r wyau wedi deor, ar ôl mis o eistedd, bydd yr oedolion yn bwydo'r cywion ar amrywiaeth eang o brae yn cynnwys pïod a brain tyddyn ifanc. Bydd rhain yn cael eu dal wrth y dwsinau ychydig cyn, neu yn syth ar ôl, gadael y nyth pan nad ydynt yn sicr ar eu hadenydd. Mae'n syndod bod mwydod yn brae pwysig hefyd; er ei fod yn aderyn gosgeiddig iawn yn yr awyr, mae'r barcud yn treulio cryn dipyn o amser hefyd yn cerdded ar hyd y caeau yn chwilio am fwydod.

Mae'r gwaith o ddiogelu'r barcud wedi bod yn mynd yn ei flaen ers canrif, a thros y deng mlynedd ar hugain diwethaf mae llawer o waith ymchwil wedi cael ei wneud ar y boblogaeth Gymreig. Rydym yn gwybod, trwy'r gwaith modrwyo, nad ydynt yn nythu nes eu bod yn dair oed o leiaf a bod bron pob aderyn yn nythu o fewn deg cilomedr i nyth ei febyd. Yn fwy difyr byth, mae arbrofion DNA ar waed wedi'i dynnu o gywion yn dangos bod y boblogaeth wedi gostwng i un iâr lwyddiannus yn y tridegau, a thua 1970 fe ddaeth aderyn o'r Almaen i nythu yn Ne-orllewin Cymru.

Heddiw, wrth gwrs, mae'r boblogaeth wedi tyfu a lledaenu, ac mae parau'n nythu o Sir Gaernarfon hyd at gymoedd y De a Sir Benfro. Cyflwynwyd adar o Sweden a Sbaen i'r Alban a Lloegr bob blwyddyn ers 1989 ac maen nhwythau hefyd wedi cael llwyddiant ysgubol. Does dim syndod bod y barcud coch wedi'i ethol yn aderyn y ganrif gan gylchgrawn adarydda mwyaf poblogaidd Prydain.

Ebrill

Dwi'n cofio ymweld â gwarchodfa Oxwich, cors a thwyni tywod ar Fro Gŵyr, ar ddechrau'r mis hwn un flwyddyn a digwydd taro ar ddiwrnod heulog, cynnes cynta'r flwyddyn. Er mai mynd yno i edrych ar y gors o safbwynt yr adar yr oeddwn i ar y pryd, rhywbeth arall sy'n aros yn y cof. Dwi erioed wedi gweld cymaint o wiberod mewn un diwrnod – pob un wedi ymddangos i gael cynhesu yn yr haul ar ôl treulio'r gaeaf dan ddaear.

Creaduriaid gwaed oer ydyn nhw ac felly mae'n rhaid cynhesu'r corff cyn mynd allan i hela. Yr amser a'r llefydd gorau i'w gweld ydi diwrnodau cynnes cynta'r gwanwyn mewn mannau ar yr arfordir. Mae Sir Benfro ac arfordir Llŷn yn enwog am eu gwiberod yn ogystal â rhannau o Fro Gŵyr, ond dwi wedi gweld ambell un yn y mewndir hefyd. Mae'n hawdd adnabod y wiber (*adder*) gan fod llinell ddu igam-ogam yn rhedeg i lawr y cefn, ac er mai hon ydi'r unig neidr wenwynig ym Mhrydain mae'n ddigon diniwed ac mae'n siŵr o lithro i ffwrdd oddi ar lwybr unrhyw gerddwr. O dro i dro bydd ambell berson yn cael ei frathu, ond chlywais i erioed sôn am unrhyw un yn marw nac yn mynd yn ddifrifol wael ar ôl cael brathiad, a gadael llonydd iddyn nhw ydi'r peth gorau i'w wneud. Yn yr hen ddyddiau roedd rhai tyddynwyr yn cadw peunod yn yr ardd mewn ardaloedd lle'r oedd gwiberod yn gyffredin, yn enwedig os oedd plant yn y teulu. Gan fod y paun yn dod yn wreiddiol o India mae'n hen gyfarwydd â nadroedd gwenwynig, a phan ddaw ar draws gwiber bydd yn ei ladd drwy sathru arni, ac yna'n ei bwyta.

Yn wahanol i neidr y gwair (*grass snake*), sy'n dodwy wyau, mae'r wiber yn rhoi genedigaeth i rai bach byw a golyga hyn ei bod hi'n bosibl iddi oroesi mewn llefydd eithaf oer fel yr ucheldir. Cafodd ci ffrind imi ei frathu yn ei drwyn gan wiber ar gopaon Mynydd Hiraethog – dros fil dau gant o droedfeddi uwchlaw lefel y môr! Ond, er bod ganddi ddosbarthiad eang, pur anaml y bydd pobol yn ei gweld gan ei bod mor swil. Yn y boreuau, bydd yn cynhesu mewn hoff lecyn cysgodol ac yna'n treulio'r rhan fwyaf o weddill y diwrnod yn hela anifeiliaid bychan a madfallod. Pwrpas y gwenwyn ydi arafu a lladd ei phrae cyn gynted ag sy'n bosibl. Wedi'r cyfan, gall llygoden redeg ymhell mewn hanner munud, ond os ydi'r gwenwyn yn gweithio'n syth bydd yn cwympo yn ei hunfan. Unwaith y mae'r wiber wedi bwyta pryd sylweddol does dim raid iddi hela eto am ddiwrnodau, dim ond torheulo a chadw allan o ffordd ei gelynion.

Yn ogystal â'r wiber a neidr y gwair, mae'r neidr ddefaid (*slow-worm*) yn ymddangos y mis yma hefyd. Mae hon yn llawer llai na'r ddwy arall ac o liw euraidd neu arian. Er ei bod yn debyg iawn i neidr, madfall wedi colli'i choesau ydi hi mewn gwirionedd. Bydd hon i'w gweld mewn gerddi ac ar hyd ochrau'r ffyrdd, yn enwedig os oes waliau cerrig neu ddarn o graig yn wynebu haul y de. Mae'n bwydo ar bryfed, gwlithod a phob math o greaduriaid di-asgwrn-cefn, ac felly mae'n anifail defnyddiol iawn. Byddwch yn ofalus iawn os ydych am drafod un o'r rhain achos, fel pob madfall, mae'r gynffon yn dod i ffwrdd pan afaelwch ynddi – ac mae ganddi gynffon hir iawn! Ffordd o amddiffyn ei hun ydi hyn, a phan fydd aderyn fel y cudyll coch neu'r bwncath yn cael gafael ynddi bydd y gynffon yn gwingo am funudau er mwyn rhoi amser i'r anifail ddianc.

★ ★ ★

Roeddwn i wrth fy modd, pan oeddwn i'n hogyn bach, yn cerdded trwy lecynnau gwlyb yn chwilota am lyffantod a'u penbyliaid, a dwi'n cofio un darn o dir ger pentref Llanwddyn oedd yn llawn o felyn y gors (neu gold y gors) ar ddechrau fis Ebrill. Gan nad oedd llyfr planhigion Cymraeg ar gael i ni bryd hynny, *marsh marigolds* oedden nhw i ni blant, ac mae lliw melyn godidog y petalau yn dal i roi gwefr imi hyd heddiw. Pan es i'n ôl i'r un corsdir ddwy flynedd yn ôl, cefais siom aruthrol i weld bod ffosydd wedi cael eu tyllu trwy ganol y gwlypdir a bod y llyffantod a'r penbyliaid, yn ogystal â melyn y gors, wedi diflannu'n llwyr. Mae'n stori drist ond yn un gyfarwydd hefyd, a phan wela i'r planhigyn yma'n tyfu yn rhywle heddiw mi fydda i'n gofalu rhoi amser i fynd draw ato i'w edmygu a'i werthfawrogi, yn llawer iawn mwy nag y byddwn i pan o'n i'n blentyn diniwed a digonedd ohonynt o fewn cyrraedd i'm cartref.

★ ★ ★

Ddiwedd Mawrth a dechrau Ebrill, bydd un o'n hadar pwysicaf yn dychwelyd i Gymru fach i nythu. Mae pawb yn nabod y wennol, wrth gwrs, a phwy ohonom all ddweud na chaiff bleser mawr wrth weld un gynta'r flwyddyn yn ôl yn ei chynefin? A dweud y gwir, dwi'n meddwl bod y wennol yn gyfrifol am fwy o gystadlu rhwng pobol â'i gilydd nac unrhyw beth arall bron, achos pan fydda i'n dweud 'mod i wedi gweld un am y tro cyntaf ar ddechrau'r mis bydd rhywun yn siŵr o ddod ata' i a dweud eu bod *nhw* wedi gweld un bythefnos ynghynt! Unwaith y bydd y gystadleuaeth answyddogol yma wedi dechrau, bydd y dyddiad yn mynd yn gynharach ac yn gynharach, nes y bydd rhywun yn honni ei fod wedi gweld un ar ddydd Nadolig (ac mae *hynny* wedi digwydd hefyd!).

Fel y rhan fwyaf o'r ymwelwyr haf, gaeafu yn Affrica y bydd y wennol a dychwelyd yma wedyn i nythu – a hynny i'r un ardal bob blwyddyn. Bydd yn adeiladu'r nyth o fwd, gydag ychydig o blu i gadw'r wyau'n gynnes a chlyd. Pan fydd y gwanwyn a'r haf yn gynnes, gyda digonedd o bryfed, gall pâr fagu tri nythaid, a does fawr ddim byd gwell na gweld nyth gwennol gyda phump o gywion mawr yn edrych i lawr arnoch. Yng nghyffiniau tir amaeth y ceir hi'n bennaf a chaiff ei bwyd o gaeau a choed, gan nythu mewn cytiau, adfeilion ac unrhyw le y caiff hi lonydd a chysgod rhag y gwynt a'r glaw.

★ ★ ★

Yn Ebrill, bydd yr ucheldir fel pe'n dod yn ôl yn fyw ar ôl hirlwm y gaeaf. Gan 'mod i wedi tyfu i fyny yng nghanol mynyddoedd y Berwyn, dyma fy hoff gynefin i. Dros y gaeaf mae'n lle llwm ofnadwy gydag ychydig iawn i'w weld, ond erbyn y mis hwn mae pethau wedi dechrau newid. Bydd llawer o'r adar wedi gadael y mynyddoedd dros y gaeaf a hedfan i'n haberoedd, lle mae'r tywydd yn fwynach a digonedd o fwyd i'w gael, ond yn awr mae'r atyniad yn ôl i'r cynefin nythu'n un cryf.

Ar rosdiroedd grugog y Canolbarth a'r Gogledd ceir cyfle i wylio grugieir duon *(black grouse)* yn arddangos. Mae gwylio'r ceiliogod yn ymgasglu ar *lek*, neu safle arddangos, fel gwylio disco yng nghlwb nos y Drenewydd. Bydd y ceiliogod yn hel at ei gilydd yn y bore bach ar gyrion y mynydd, ac yn galw fel twrcïod gwallgof. Er mwyn sefydlu pa un ydi'r cryfaf a'r mwyaf, byddant yn bygwth ei gilydd nes bod yr enillydd yn cael arddangos yng nghanol y *lek* a'r ceiliogod llai llwyddiannus o'i gwmpas. Ddiwedd Ebrill a dechrau Mai y bydd yr ieir yn cyrraedd; bryd hynny y bydd yr arddangos ar ei orau. Y ceiliog cryfaf gaiff gymharu gydag wyth deg y cant o'r ieir, ond ar ôl hynny bydd yn gadael y gwaith o ori'r wyau a magu'r cywion i'r iâr.

Aderyn sy'n hoff o gymysgedd o gynefinoedd ydi'r rugiar ddu, a phedair mil o flynyddoedd yn ôl roedd y goedwig wyllt agored a'r grug oddi tani yn gynefin perffaith. Eto, ar ôl yr Ail Ryfel Byd, crewyd cynefin arall i rugieir duon trwy i goed conwydd ifanc gael eu plannu ar lethrau'r ucheldir. Ond wrth i'r rhain dyfu, maent yn lladd y llystyfiant ar y llawr, ac o ganlyniad roedd yr adar yn marw allan. Dros y pum mlynedd diwethaf, mae grŵp o fudiadau a thirfeddianwyr wedi dod at ei gilydd i wella'r cynefin mewn mannau allweddol fel y Berwyn, y Migneint, Clocaenog a mynydd Rhiwabon, a – diolch i'r drefn – mae'r aderyn unigryw yma wedi adennill tir ac yn ffynnu unwaith eto.

★ ★ ★

Ar rosdiroedd tra gwahanol, mae Ebrill yn amser da i fynd i wrando ar gân yr ehedydd a galwad y gog. Mae'n siŵr bod mwy o ganeuon a phenillion wedi'u hysgrifennu am y ddau aderyn yma nag unrhyw un arall – a hynny'n haeddiannol hollol. Does dim cân mwy swynol yn y byd na chân ceiliog ehedydd wrth iddo ddringo tua'r nen i rybuddio unrhyw geiliog arall o fewn clyw i gadw draw o'i diriogaeth ac oddi wrth ei gymar.

Y lle gorau i'w gwylio ydi ar ucheldir gweiriog neu dwyni tywod, dau gynefin tra gwahanol ond dau sy'n cynnig digonedd o fwyd a thyfiant hir i guddio'r nyth. Mae'n waith anodd dod o hyd i nythod yr adar yma gan eu bod yn rhedeg bellter ffordd trwy'r tyfiant cyn mynd i eistedd ar yr wyau, ac yn gwneud yr un peth eto wrth adael y nyth. Ers talwm, byddai'n aderyn cyffredin ar y fferm, ond heddiw – gan nad oes llawer o gnydau'r gwanwyn yn cael eu plannu – mae'n aderyn prin iawn yn y cynefin yma.

Yn wahanol i'r ehedydd, aderyn mudol sy'n dod yn ôl o Affrica ym mis Ebrill ydi'r gog, ac fel gyda'r wennol bydd pawb ar ras i fod y cyntaf i'w chofnodi. Mae'n enwog am ddodwy ei hwyau yn nythod adar eraill – un ŵy i bob nyth – ac mae'n athrylith ar addasu lliw ei wyau i 'ddynwared' yr wyau eraill yn y nyth. Pan fydd ŵy'r gog yn deor, bydd y cyw yn gwthio pob ŵy a chyw arall allan o'r nyth fel bod y rhieni'n canolbwyntio ar ei fwydo fo'n unig. Gall ddodwy yn nythod amryw o adar gwahanol, o'r robin i'r bioden, ond fel rheol adar fel telor yr hesg (*sedge warbler*) a chorhedydd y waun (*meadow pipit*) sy'n gorfod dioddef. Mae gwyddonwyr wedi dangos bod cyw'r gog yn dilyn ei fam ac yn dodwy yn nyth aderyn o'r un rywogaeth â'r aderyn druan gafodd ei orfodi i'w fagu o!

Dim ond unwaith erioed yr ydw i wedi gweld cog yn dodwy ŵy yn nyth aderyn arall, a hynny ar ddarn gwlyb o ucheldir uwchben pentref Llanwddyn. Gwelais yr iâr yn gwylio corhedydd y waun yn gwneud ei ffordd yn ôl i'w nyth, cyn iddi hedfan i lawr a glanio'n agos at y nyth. Yn syth, daeth y rhieni i'w herlid yn arw, ac mor gas oedd yr ymosodiad nes bod rhaid i'r gog ddodwy ar ochr y nyth a rhoi'r ŵy i mewn gyda'i phig. Mae pob un llyfr yn dweud bod y gog yn dodwy yn syth i mewn i'r nyth, ond yn sicr nid dyna ddigwyddodd y tro hwnnw.

Bydd llawer o'r caeau'n llawn glöynnod byw, neu bili-palod, ar ddyddiau braf y mis yma – pob un yn hedfan yn simsan o flodyn i flodyn. Un o'r rhai delaf ohonynt ydi boneddiges y wig (orange tip), gyda'i hadenydd gwyn â chorneli oren – neu, o leiaf, dyna ydi'r lliw y mae'r rhan fwyaf ohonom yn gyfarwydd â fo, ond mae'n bwysig cofio nad oes oren ar aden yr iâr. Blodyn llefrith (cuckoo flower) ydi'i hoff blanhigyn ac ar hwn y bydd yr iâr yn dodwy ei hwyau, ond bydd yn hedfan tuag at unrhyw flodyn amlwg yn y caeau i gasglu maeth. Bydd ambell i löyn byw gwyn arall o gwmpas yr amser yma hefyd, ond does dim un mor hardd â boneddiges y wig.

Rydan ni'n clywed hen ddigon am adar sy'n diflannu o gefn gwlad, ond un sy'n ffynnu ar ein hafonydd ydi'r hwyaden ddanheddog (goosander). Bwyta pysgod bach a wna'r aderyn yma, ac er nad yw'n boblogaidd gyda'r pysgotwyr mae'n ychwanegiad gwych i'r rhestr o adar sy'n nythu yng Nghymru. Pen brown, corff llwyd a bol gwyn sydd gan yr iâr ond mae'r ceiliog yn llawer mwy lliwgar gyda'i ben gwyrdd a'i gorff du a gwyn. Adeg y tymor nythu mae'r plu gwyn yn troi'n binc, a phleser yw ei weld yn arddangos i'r iâr ar yr afon.

Erbyn heddiw mae parau'n nythu ar bob afon fawr – hyd yn oed ar y Taf yng nghanol Caerdydd – ond, yn wahanol i'r hwyaden wyllt, mae'r iâr yn dewis nythu yng ngwaelod twll mewn coeden. Dwi'n cofio dod o hyd i'r nyth cyntaf yng Nghymru mewn hen dderwen ar lannau Llyn Efyrnwy yn 1975. Y flwyddyn cynt, roedd tylluan frech wedi defnyddio'r twll, ond y tro yma, pan edrychais i mewn, gwelais ben iâr hwyaden ddanheddog yn edrych yn ôl arna' i o waelod y twll.

Yn nes ymlaen yn y tymor, gwelais dri o'r cywion yn neidio allan o geg y twll (oedd rhyw bedwar medr uwchlaw'r ddaear) cyn dilyn eu mam i'r dŵr. Dychwelodd yr un iâr i'r twll yma i nythu am bum mlynedd yn olynol a chafodd llawer o lwyddiant yn magu dros ugain o gywion. Ers y dyddiau cynnar hynny mae'r boblogaeth wedi cynyddu'n gyflym, a gellwch weld yr hwyaid yma ar hyd ein hafonydd ac ar ein llynnoedd, dim ots lle'r ydych yn byw.

★ ★ ★

Wedi'r llyffantod ym mis Chwefror a'r llyffantod dafadennog ym mis Mawrth, tro madfallod y dŵr (newts) ydi hi'r mis yma i fentro o'u cuddfannau mewn coedwigoedd a waliau cerrig i ddodwy mewn pyllau a llynnoedd. Yn wahanol i'r llyffantod, dodwy wyau sengl y mae'r madfallod dŵr a'u 'gludo' ar ddeilen danddwr fel bod yr ŵy wedi'i guddio'n ddiogel. Fel hyn, er bod llai o wyau'n cael eu dodwy, bydd llawer llai yn cael eu bwyta gan anifeiliaid rheibus.

Mae tri math gwahanol o fadfallod dŵr yng Nghymru – y fadfall ddŵr balfog (palmate newt); y fadfall ddŵr gyffredin (smooth newt), a'r brinnaf ohonynt, y fadfall ddŵr gribog (great crested newt). Yn ardal Llanwddyn, fel trwy ucheldir Cymru benbaladr, y fadfall ddŵr balfog welid amlaf yn nyddiau fy mhlentyndod i, a byddwn yn gallu'i hadnabod yn hawdd gan fod croen rhwng bodiau'r un gwrywaidd yn y gwanwyn ac edefyn bach du fel darn o gotwm ar ben y gynffon. Hon ydi'r fadfall leiaf o'r tair, a'r rheswm pam mai hi yw'r un fwyaf cyffredin trwy Gymru ydi'i bod hi'n hoff o ddŵr meddal ac felly'n teimlo'n gartrefol ar byllau mawnog yr ucheldir. Tir isel, llai sur, y mae'r fadfall ddŵr sydd â'r enw 'cyffredin' yn ei hoffi – a gellir ei hadnabod hi wrth liw'r cefn, sy'n frown golau, ac wrth y smotiau tywyll dros y corff.

Y fwyaf ohonynt ydi'r fadfall ddŵr gribog, a gall yr un gwrywaidd dyfu i fod tuag un centimedr ar bymtheg o hyd. Mae'n brin iawn, ac i'w gweld yn bennaf ar hyd ffin ddwyreiniol Cymru yn ogystal â llynnoedd bas Ynys Môn. Fel gyda phob madfall ddŵr, mae'r ceiliog yn edrych yn odidog yn y gwanwyn gyda'i grib amlwg ar hyd y cefn, a'i fol oren llachar â phatrymau tywyll. Yn wir, mae'r patrymau'n unigryw, a bydd gwyddonwyr yn gallu adnabod unigolion trwy ffotocopïo'u boliau. Maent wedi prinhau trwy golli'r pyllau lle byddant yn dodwy, ond heddiw mae mwy a mwy o bobol yn creu pyllau arbennig i'w hybu.

Un o wyrthiau'r mis yma ydi ymddangosiad dail y coed. Un funud, mae'r coedwigoedd yn edrych yn ddigon llwm; y funud nesaf, mae dail gwyrdd, glân yn ymddangos. Cemegau arbennig o'r enw hormonau sy'n achosi hyn – ond fe ddylanwadwyd arnynt hefyd yn gynharach yn y tymor gan y tymheredd, yn ogystal â'r cynnydd cyson mewn oriau golau dydd. Unwaith y bydd y tymheredd wedi codi a'r dydd yn ymestyn bydd y dail yn ymddangos, a'r cemegau arbennig yn gwthio pob planhigyn at i fyny er mwyn cyrraedd golau'r haul i gael 'bwyd'. Yn aml, dim ond pan fydd digonedd o olau y bydd y brigau'n lledu at allan. Dyna pam mae coeden yng nghanol coedwig drwchus yn dal ac yn denau, a choeden yng nghanol cae yn aml yn edrych yn beth digon tew!

Mae'r dail ifanc yn flasus ac yn denu pob math o bryfetach, yn enwedig lindys gwyfynod. Dros amser, bydd y coed yn cynhyrchu silica a chemegau â blas drwg arnynt er mwyn amddiffyn y dail, ac mae'r frwydr yn parhau trwy gydol y gwanwyn a'r haf. Rhaid cofio bod y lindysod hwythau, yn eu tro, yn hanfodol bwysig i bryfaid rheibus fel y cacwn ac yn enwedig i adar fel y titws. Y dderwen ydi'r goeden bwysicaf o'r cyfan gan ei bod yn cynnal dros dri chant a hanner o fathau gwahanol o bryfed, lle nad oes ond rhyw hanner dwsin o fathau yn byw ar rai o'r coed conwydd estron sydd wedi'u plannu wrth y miliynau yng Nghymru.

Un aderyn sydd wedi lledaenu o'i gartref traddodiadol ar yr arfordir i'r mewndir yn weddol ddiweddar ydi pioden y môr (*oystercatcher*), a heddiw mae'n bosibl gweld y bioden hon yn nythu ar ochr llynnoedd ac ar raean yng nghanol rhai o'n hafonydd mwyaf. Nythodd y pâr cyntaf yn y mewndir ar Lyn Trawsfynydd yn 1947 a'r pâr cyntaf ar ein afonydd ar yr Afon Hafren ger Caersws yn 1974. Ers hynny, mae'r niferoedd wedi cynyddu a lledaenu ond ddim i'r un graddau ag y mae hyn wedi digwydd yn yr Alban a Gogledd Lloegr. Eu cadarnle ydi'r arfordir, wrth gwrs, a dwi'n cofio cyfrif dros drigain o barau'n nythu o amgylch Ynys Enlli yn y nawdegau cynnar.

Rhyw ugain mlynedd yn ôl, nythodd pâr ar ganol y lein reilffordd brysur sy'n cysylltu Caergybi a Bangor. Bob tro y deuai trên heibio, gadawai'r rhiaint y nyth ac aros i'r trên basio cyn dychwelyd i eistedd ar yr wyau. Tynnodd hyn gryn dipyn o sylw gan wŷr y wasg a chyn hir roedd lluniau o'r adar ym mhob papur lleol. Wedyn daeth y criwiau camera er mwyn rhoi'r hanes ar y newyddion, ond rhoddodd un dyn camera 'ei droed ynddi' go iawn pan sathrodd yn ddamweiniol ar yr wyau. Dyna ddangos pa mor dda ydi cuddliw'r wyau a pha mor ofalus y mae'n rhaid bod pan yn ymwneud â nythod fel hyn.

Aderyn arall sy'n nythu ar raean yng nghanol afonydd, ac sydd wedi cynyddu'n ddiweddar, ydi'r cwtiad torchog bach (*little ringed plover*). Mae'n aderyn mudol sy'n cyrraedd ein hafonydd ym mis Mawrth ac yna'n mynd ati i gymharu ac i ddodwy ei dri neu bedwar ŵy mewn pant ar y ddaear. Unwaith eto, mae cuddliw'r wyau'n berffaith – ond mae 'na beryglon, nid yn unig o gyfeiriad brain a chreaduriaid rheibus eraill ond hefyd y peryg o lifogydd. Cofnodwyd y pâr cyntaf i nythu yn 1974 ar yr Afon Hafren, yna'r Afon Gwy yn 1977, ac yn yr wythdegau cynnar, yr Afon Tywi. Dangosodd arolwg yn 1991 bod o leiaf drigain o barau yn nythu yma, o Shotton ger y Fflint i lawr hyd at yr Afon Wysg, gyda dros hanner y parau yn nythu ar yr Afon Tywi.

Mae'n aderyn tebyg iawn i'r cwtiad torchog (*ringed plover*) sydd mor gyfarwydd ar yr arfordir, ond bod ei big yn ddu a'i goesau'n binc (nid melyn) a does dim llinell wen i'w gweld ar ei adenydd pan mae'n hedfan. Unwaith y bydd o'n sefyll yn stond, mae'n anodd iawn ei weld ymysg y graean – ond adeg nythu maen nhw'n adar digon swnllyd, sy'n gwneud pethau dipyn yn haws!

★ ★ ★

Mentrwch i ucheldir grugog ar ddiwedd y mis ac fe welwch un o'n gwyfynod delaf, a chyda'r cyflymaf hefyd, sef yr ymerawdwr (*emperor moth*). Bydd ei liw yn amrywio o arian i efydd, ond ei nodwedd amlycaf ydi'r 'llygaid' mawr tywyll sydd ar ei adenydd. Mae rhai yn dweud bod y rhain yn gwneud i'r gwyfyn edrych yn fawr ac felly'n dychryn unrhyw aderyn sy'n ei hela, tra bod eraill yn honni bod adar yn ymosod ar y 'llygaid' gan feddwl eu bod yn gafael ym mhen y creadur – wrth gwrs, gafael yn yr aden y maen nhw, a chan fod honno'n torri'n hawdd mae'n rhoi cyfle i'r gwyfyn ddianc.

Mae'r lindys yn un mawr gwyrdd a'r cocŵn, lle bydd y lindys yn troi'n wyfyn, wedi'i wneud o sidan. Yn wir, pan na fydd y gwyfynod yn hedfan, yr unig arwydd gewch chi bod yr ymerawdwr o gwmpas fydd dod ar draws y cocŵn brown wedi glynu i'r grug.

Planhigyn sy'n chwarae rhan bwysig iawn yn ecoleg yr ucheldir ydi'r migwyn (*sphagnum*). Hwn ydi'r mwsogl gwyrdd, melyn a coch sydd i'w weld o dan draed ym mhobman, ac sydd yn aml yn gorchuddio ffos neu bwllyn dwfn – fel dwi wedi darganfod lawer gwaith! Nid yn unig mae'r mwsogl yma'n dal dŵr, ac felly'n fodd i gadw'r cynefin yn wlyb, ond mae hefyd yn pydru'n araf ac yn creu mawn asidig.

Bydd dyn yn ei ddefnyddio'n helaeth – mewn basgedi crog fel rheol (oherwydd gallu'r mwsog i ddal cymaint o ddŵr, wrth gwrs). Adeg y Rhyfel Byd Cyntaf câi ei ddefnyddio fel rhwymyn o amgylch briwiau difrifol, gan fod gwrth-heintiwr naturiol yn y mwsogl. Yn ôl pob sôn, roedd yn gymorth mawr pan oedd ffisig o bob math yn brin, ac roedd yn sicrhau bod y briwiau'n cadw'n iach ac yn gwella'n gyflymach na'r arfer. Tybed faint mwy o blanhigion sydd allan yna yn rhywle ag iddynt ddefnydd meddygol?

* * *

Mis Ebrill fyddai'r mis y byddwn i'n cerdded yr Afon Efyrnwy o'r argae at i lawr, er mwyn chwilota am nythod ieir dŵr (*moorhens*). Bryd hynny, roedd o gwmpas pum pâr yn nythu ar ddwy filltir o afon a llawer o'r nythod wedi cael eu hadeiladu ar frigau'n ymestyn allan dros y dŵr. Yn dilyn llifogydd, roedd rhai o'r parau'n ailadeiladu nyth yn uwch i fyny, yn aml ar hen foncyff neu ymysg y sbwriel naturiol oedd wedi mynd ynghlwm i frigau'r coed. Yna, daeth y minc, anifail rheibus sy'n wreiddiol o'r Unol Daleithiau, ac am gyfnod diflannodd yr ieir dŵr.

O fewn pum mlynedd, fodd bynnag, daeth dau bâr yn ôl, ond doedd dim un nyth amlwg i'w gael ar yr afon. Dwi'n sicr bod yr ieir dŵr wedi dechrau cuddio'r nythod yn fwy gofalus ar ôl dyfodiad y minc, a phur anaml wedi hynny y gwelech chi ieir dŵr yn mentro'n bell o'r dorlan gyda'u cywion. Y tro diwethaf i mi gerdded y darn yna o'r afon (rhyw bum mlynedd yn ôl) roedd tri phâr o ieir dŵr i'w gweld, ond er imi chwilio'n fanwl dim ond un nyth welais i. Dyma ddangos ffordd y gall bywyd gwyllt, ar adegau, addasu i gyd-fyw gydag anifeiliaid estron.

★ ★ ★

Mae'n rhaid imi gyfaddef nad ydw i'n rhy hoff o wylanod. Efallai mai'r wythnosau o gael fy mhigo'n gyson ar rai o ynysoedd Cymru sy'n gyfrifol am hynny, ond beth bynnag ydi'r achos, dwi ddim yn un o'r rheiny sy'n gallu syllu ar haid o filoedd o wylanod er mwyn darganfod yr un prin gyda choesau melyn! Yr unig eithriad ydi'r wylan benddu; mi fydda i'n hoff iawn o weld yr wylan fechan yma yn ôl yn ei chynefin nythu ar lynnoedd yr ucheldir.

Hon ydi'r wylan â phen siocled, traed coch, cefn llwydlas golau a bol gwyn llachar, a bydd i'w gweld yn aml yn dilyn y tractor wrth dorri silwair ar ddiwedd y gwanwyn. Byddaf yn gweld heidiau ohonynt yn gwneud eu ffordd i glwydo yn yr ucheldir o fis Mawrth ymlaen, ond ni fydd yn nythu tan fis Ebrill. Mae'r nyth ei hun yn un digon blêr ac wedi'i leoli ar ynysoedd yng nghanol llyn fel rheol. Mae dros ugain o barau'n nythu ar ddwy ynys fechan yng nghanol Llyn Conwy ar y Migneint yng Ngogledd Cymru, ac yn dilyn gwanwyn sych bydd llwynogod yn gallu mynd at y nythod i fwyta'r wyau a'r cywion. Yn dilyn tymor gwlyb, fodd bynnag, bydd y nythod yn cael eu boddi wrth i lefel y dŵr godi.

Roedd Sir Drefaldwyn yn gartref pwysig iawn i'r adar yma ers talwm ac, yn 1938, cofnodwyd dros ddwy fil o barau'n nythu ar Lyn Tarw. Dwi'n cofio dros saith gant o barau yn nythu yno ar ddechrau'r saithdegau ond ers hynny mae'r niferoedd wedi gostwng ymhellach. Mewn mannau eraill, mae nythfeydd cyfain wedi diflannu. Does neb yn sicr o'r union resymau *pam* mae niferoedd y gwylanod yma'n lleihau, ond yn sicr mae'r newidiadau yn ein dulliau o drin sbwriel ac amaethyddiaeth dwys wedi chwarae rhan bwysig yn y dirywiad hwn eto.

★ ★ ★

Ebrill ydi'r mis pan fydd llawer o sylw'n cael ei roi gan wŷr y wasg i nythod mewn mannau rhyfedd! Dwi'n cofio, yn ystod y gwanwyn diwethaf, fel roedd y papurau'n llawn o luniau o aderyn du yn eistedd ar ei nyth ar olau oren rhyw oleuadau traffig, ac mae llawer stori am adar yn nythu ar beiriant tractor neu fodur a'r rheiny'n dal i gael eu defnyddio! Y meistr, wrth gwrs, ydi'r robin goch, sy'n nythu'n rheolaidd mewn poced hen gôt neu mewn tebot wedi'i daflu i'r gwrych. Dim ond i *ni* y mae'r rhain i'w gweld yn safleoedd digri; i'r adar, maen nhw'n cynnig cysgod o'r gwynt a'r glaw, ac yn rhoi rhywfaint o loches oddi wrth gathod a chreaduriaid ysglyfaethus o bob math.

Y stori orau glywais i erioed oedd honno am bâr o wenoliaid y bondo a nythodd ar fferi oedd yn croesi'n ddyddiol o Dover i Calais ac yn ôl. Er gwaetha'r holl bobol a'r symud parhaol, roedd yr adar i'w gweld yn bwydo'n hapus ar bryfed uwchlaw'r môr, ac yn dychwelyd o dro i dro i fwydo'r cywion. Os dwi'n cofio'n iawn, magwyd dau lond nyth yn llwyddiannus y flwyddyn honno, ond dwi ddim yn meddwl y bu iddyn nhw ddychwelyd y flwyddyn ddilynol.

★ ★ ★

Pan fyddwn i'n mynd am dro o amgylch Llanwddyn ers talwm, doeddwn i byth yn mynd â bwyd na diod gyda mi – heb sôn am fap a chwmpawd. Peth digon gwirion oedd yr olaf, mae'n sicr, ond roeddwn i'n adnabod yr ardal fel cefn fy llaw. Mae'n siŵr imi hefyd yfed galwyni o ddŵr glân y nentydd, a phob tro y byddwn i'n llwglyd, wel, bwyta'r hyn

61

oedd ar gael yn naturiol fyddwn i. Un o'm hoff fwydydd oedd suren y coed *(wood sorrel)*; roeddwn yn ffodus bod toreth ohonynt yn tyfu ar lawr y coed pinwydd. Mae'n edrych yn debyg iawn i ddail meillion *(clover)*, ac yn yr haf bydd yn cynhyrchu blodyn bach gwyn. Ond y dail ydi rhan flasusaf y planhigyn, ac heb air o gelwydd mi fyddwn i'n eu bwyta wrth y dwsinau. Mae sôn bod gormod ohonynt yn gallu bod yn wenwynig, ond dwi'n dal ar dir y byw!

Mai

Ym mis Mai y mae côr y wig ar ei orau, gan fod yr adar sefydlog a'r adar mudol i gyd yn canu gyda'i gilydd. Dyma'r adeg o'r flwyddyn y mae gofyn ichi wybod yn iawn pa gân neu alwad sy'n perthyn i ba aderyn, gan fod rhaid defnyddio'r clustiau yn llawer mwy na'r llygaid. Mae'r adar yn canu am ddau reswm yn bennaf. I ddechrau, rhaid denu cymar ac mae'r canu'n ffordd dda i'r iâr allu mesur pa mor iach ydi'r ceiliog. Mae arbrofion wedi dangos bod ceiliogod titws mawr sydd â chaneuon cymhleth yn fwy llwyddiannus wrth ddenu ieir na'r rhai sydd â chaneuon eithaf syml. Yr ail reswm ydi bod gofyn hysbysebu tiriogaeth a gadael i'r cymdogion wybod bod aderyn iach yn y diriogaeth-drws-nesaf. Byddant yn canu gyda'r wawr a chyda'r hwyr oherwydd ei bod yn dawelach ar yr adegau hynny, a'r gân felly yn fwy clywadwy. Yr adar sydd â'r llygaid mwyaf, sef y rhai sy'n gweld orau (fel y fronfraith), fydd yn dechrau canu gyntaf.

Nid yw pob un o geiliogod adar y coed yn lliwgar, gan nad oes disgwyl i aderyn fedru gweld ymhell ymysg y dail i gyd. Meddyliwch am un o gyngherddau Tom Jones: os ydych chi'n agos at y llwyfan, gellwch weld Tom yn ei holl ogoniant yn chwyrlïo'i gluniau â'i fedal aur yn disgleirio ar ei frest, ond os ydych chi yng nghefn y neuadd, *welwch* chi'r nesaf peth i ddim a bydd raid ichi felly ddibynnu'n unig ar wrando ar ei lais bendigedig. Dyna beth sy'n digwydd yn y coed. Mae gormod o ddail i allu gweld unrhyw beth sy'n bell i ffwrdd, ac felly mae'n rhaid i'r ceiliog ddibynnu'n llwyr ar ei lais. Po orau'r llais, mwyaf y llwyddiant!

Mae rhai ceiliogod, megis y titw mawr, coch y berllan a'r gwybedog brith, yn edrych yn fendigedig yn eu gwisg nythu oherwydd eu bod, yn wahanol i deloriaid fel y siff-saff a thelor y coed, yn tueddu i dreulio llawer o'u hamser yn nes at y ddaear – lle mae llai o ddail, wrth gwrs. (Yn wir, mae gwaith ymchwil diweddar wedi dangos bod ceiliogod titws mawr sydd â llinell ddu drwchus i lawr eu boliau yn fwy llwyddiannus na'r rhai gyda llinell ddu denau.)

Bydd côr y wig yn tawelu'n sydyn iawn ar ddechrau mis Gorffennaf, gan fod y tymor nythu (neu o leiaf yr amser pan fydd ceiliogod yn ceisio denu iâr) yn dirwyn i ben ac felly gwastraff amser ac egni fuasai canu bob bore. Ond mae un peth yn sicr – mae'r gwanwyn, pan mae'r canu yn ei anterth, yn amser peryglus i'r ceiliogod gan eu bod yn tueddu i ganu o safleoedd amlwg ac felly mewn perygl o gael ymosodiad gan adar fel y gwalch glas.

★ ★ ★

Un aderyn sy'n arbennig i goedydd derw Cymru ydi'r gwybedog brith *(pied flycatcher)*. Bydd yr aderyn mudol hwn o Affrica yn cyrraedd ein coedwigoedd ym mis Ebrill, ac yn syth bydd y ceiliog du-a-gwyn yn canu i ddenu'r iâr frown ddi-liw. Mae hwn yn un o'r adar hynny sy'n hollol fodlon mabwysiadu blychau nythu ac mae hyn yn ei gwneud hi'n hawdd i bobl astudio'r boblogaeth bob blwyddyn. Ar rai gwarchodfeydd, mae gwyddonwyr wedi bod yn astudio a modrwyo'r adar yma ers dros chwarter canrif ac mae rhai o'r canlyniadau'n ddifyr iawn.

Ar Warchodfa Natur Cenedlaethol Coedydd Aber ger Bangor, mae'r warden, Duncan Brown, ynghyd â gwyddonwyr o Brifysgol Bangor, wedi bod yn cofnodi pob math o ystadegau ar yr aderyn yma ers blynyddoedd lawer, yn cynnwys dyddiadau cyrraedd a dyddiadau dodwy. Mae'r wybodaeth yn dangos bod yr adar yn cyrraedd tua'r un amser ag yr oedden nhw yn y saithdegau, ond bod yr ieir yn dodwy ddeng niwrnod yn gynharach nag yr oedden nhw bum mlynedd ar hugain yn ôl. Credir bod mwy o lindysod o gwmpas yn gynharach yn y flwyddyn bellach oherwydd bod y byd yn cynhesu, ac felly'r ieir mewn cyflwr i fedru dodwy'n gynharach. Mae'r enghraifft yma'n dangos pwysigrwydd monitro un rhywogaeth dros dymor hir.

Hwyaden ddanheddog.

Gwiber yn dorch.

Gwennol yn gadael ei nyth.

Y minc estro

Dau 'Ymerawdwr' yn paru

Aderyn y to.

★ ★ ★

Er mai'r genhinen Bedr ydi blodyn cenedlaethol Cymru, mae 'na un blodyn bach arall sydd yr un mor enwog fel blodyn Cymreig, sef lili'r Wyddfa neu frwynddail y mynydd. Ar y dechrau un fel hyn, mae'n rhaid i mi gyfaddef nad ydw i erioed wedi gweld lili'r Wyddfa, er gwaethaf llawer ymdrech i chwilio amdani mewn tywydd garw. Mae'n byw ar rai o lechweddau mwyaf anghysbell a pheryglus yr Wyddfa a Chwm Idwal, ac mae ei lleoliad yn gyfrinach agos ymysg y botanegwyr.

Bydd yn blodeuo tua diwedd y mis hwn, neu ddechrau mis Mehefin, ond mae hyn yn amrywio cryn dipyn o un flwyddyn i'r llall – yn dibynnu ar y tywydd. Mae'n goroesi'r gaeaf fel bwlb yn y pridd tenau cyn i'r dail egino ar ddechrau'r gwanwyn, ac yna daw'r blodyn bach melynwyn ar ddiwedd mis Mai. Disgrifiwyd y planhigyn yma'n wyddonol am y tro cyntaf yn yr ail ganrif ar bymtheg gan y naturiaethwr enwog, Edward Llwyd. Yn wir, yn Lladin fe enwyd y planhigyn ar ôl y botanegydd enwog hwn o Gymru – *Lloydia serotina*.

Am ganrifoedd lawer, bu casglwyr planhigion yn anelu am Eryri bob gwanwyn i gasglu planhigion Arctig-Alpaidd, ac yn arbennig felly lili'r Wyddfa gan nad ydi hi i'w chael yn unman arall ym Mhrydain. Defnyddid arweinwyr lleol o bentrefi fel Llanberis a Beddgelert i dywys y botanegwyr (Saeson, gan mwyaf) hyd at y mannau uchel lle'r oedd y planhigion prin yn tyfu, ac o achos gor-gasglu bu llawer planhigyn bron â diflannu'n gyfan gwbwl. Diolch i'r drefn, mae *Lloydia* a phlanhigion eraill yr ucheldir yn parhau i oroesi ar rai o'r clogwyni mwyaf anghysbell.

Cofnododd rhai o'r gwyddonwyr cynnar a ymwelodd ag Eryri bod yr arweinwyr lleol yn anfodlon iawn i'w tywys i un neu ddau o glogwyni serth gan fod eryrod yn nythu yno, ac ar adegau roedd yr adar yn fodlon ymosod ar ddyn. Gydag enw fel 'Eryri' buasai rhywun yn *disgwyl* gweld eryrod yno, yn enwedig gan fod y cynefin yn parhau i fod yn addas iddynt hyd yn oed heddiw. Ond mae dadlau brwd rhwng rhai adarwyr ynglŷn â'r mater – rhai'n ffyddiog bod yr eryr aur (*golden eagle*) wedi nythu o gwmpas Yr Wyddfa hyd at yr ail ganrif ar bymtheg, eraill yn mynnu mai bwncathod oedd yr 'adar mawr' a welwyd yno. Does dim tystiolaeth bendant y naill ffordd na'r llall, ond buaswn i'n hoffi meddwl bod eryrod wedi cylchu'r clogwyni serth hyd at bedair canrif yn ôl, ac efallai wir – os cânt lonydd yn yr Alban – y gwelir hwy yn ôl yn Eryri eto ryw ddydd.

★ ★ ★

Mis Mai ydi'm hoff fis i ar yr ucheldir, gan fod y tywydd oer wedi dirwyn i ben a'r adar i gyd yn brysur yn nythu. Fy hoff aderyn i ydi'r bod tinwen (*hen harrier*), aderyn ysglyfaethus prin iawn sy'n treulio'r gwanwyn a'r haf ar rosdiroedd grugog yr ucheldir, ond sy'n diflannu dros yr hydref a'r gaeaf i dywydd mwynach yr arfordir a chorsydd yr iseldir. Mae gwahaniaeth mawr rhwng y ceiliog a'r iâr gan ei fod ef yn llwydlas golau, bron â bod yn wyn o bell, a hithau'n frown gyda darn gwyn ym môn y gynffon. Mae'r iâr yn fwy na'r ceiliog, fel bod y ddau yn gallu hela prae gwahanol ac osgoi cystadlu yn erbyn ei gilydd pan fo bwyd yn brin.

Cafodd yr aderyn gosgeiddig yma'i erlid yn ddidrugaredd gan giperiaid y ddwy ganrif ddiwethaf oherwydd ei fod yn bwydo, ymysg pethau eraill, ar rugieir coch. Cawsant eu saethu a'u trapio yn eu miloedd, ac yn 1912 diflannodd y pâr olaf – fe gredid – o Gymru. Ond nythodd pâr yma eto uwch pentref Llangynog ar fynyddoedd y Berwyn yn 1957, a chynyddodd y boblogaeth fechan hyd at y saithdegau pan gofnodwyd tua deg ar hugain o barau. Ers hynny, mae'r niferoedd wedi aros yn eithaf sefydlog ar rhwng ugain a phump ar hugain o barau bob blwyddyn.

Ar ddechrau Mai, bydd y ceiliog yn arddangos uwchben ei diriogaeth ac mae hon yn olygfa sy'n werth teithio i ben draw'r byd i'w gweld! Yn gyntaf, bydd yn cylchu er mwyn dringo i'r awyr, ac yna'n cwympo fel carreg nes ei fod bron cyffwrdd â'r grug – ond ar y funud olaf, mae'n dringo unwaith eto, ac ar frig y 'ddawns' yn troi ar ei gefn cyn cwympo i lawr yn ei ôl. Dwi wedi gweld ceiliog yn gwneud hyn dros hanner cant o weithiau yn olynol, a chan ei fod yn aderyn mor wyn, mae'n sefyll allan yn erbyn y cefndir brown.

Erbyn diwedd y mis, bydd yr iâr yn eistedd ar rhwng tri a saith o wyau, a'r ceiliog bryd hynny ddim ond yn mentro'n ddigon agos i drosglwyddo bwyd iddi. Fydd *o* ddim yn gori, gan ei fod mor llachar ei liw, ond mae'r iâr frown yn toddi i mewn i'r cefndir yn berffaith. Er gwaetha'r cuddliw, bydd llawer o nythod yn methu'n flynyddol – rhai o achos ymyrraeth dynol, rhai o achos y tywydd, ac eraill yn cael eu llarpio gan lwynogod. Mae'r sefyllfa yng Nghymru, er hynny, yn llawer gwell nag ydi hi ar rosdiroedd Gogledd Lloegr, lle mae'r boblogaeth yn dal i gael ei herlid yn arw gan giperiaid.

★ ★ ★

Pan oeddwn i'n gweithio i'r *RSPB*, byddai'r ffôn yn brysur iawn bob mis Mai gyda phobol yn cwyno am ddau aderyn yn arbennig, sef y bioden a'r wylan. Roedd y bioden wedi pechu yn eu herbyn am ei bod yn dinistrio nythod adar bach, a'r wylan (gan ei bod yn nythu mewn trefi arfordirol poblog a phrysur) am ei bod yn ymosod ar bobol. Y peth syml i'w wneud ar y pryd oedd cytuno gyda'r ddwy gŵyn, ond mae pethau'n llawer mwy cymhleth na hynny!

Dros y ganrif ddiwethaf, mae'r pïod – fel llawer o deulu'r brain – wedi cynyddu'n sylweddol iawn ac mae llawer o wahanol resymau am hyn. I ddechrau, mae niferoedd y ciperiaid yng nghefn gwlad Cymru wedi gostwng yn aruthrol. Ers talwm, roedd o leiaf un ciper i bob pentref ac roeddent yn cadw poblogaethau'r brain a'r llwynogod i lawr drwy gydol y flwyddyn. Dwi'n cofio Taid yn dweud wrtha i bod pentref Llanrug i gyd wedi mynd allan un tro i weld pioden yng ngardd cymydog iddo, gan eu bod, wedi'r cyfan, yn adar hardd ofnadwy. Cyn pen chwarter awr, roedd y ciper wedi clywed am hyn ac wedi dod i lawr i'w saethu! Dyna pa mor brin oedd yr aderyn yma mewn rhai ardaloedd, a pha mor drwyadl yn eu gwaith oedd y ciperiaid bryd hynny.

Daeth tro ar fyd dros adeg y ddau Ryfel Byd pan gafodd llawer o'r ciperiaid ifanc eu tywys i gwffio mewn gwledydd tramor, a'r hen bioden felly'n cael heddwch i gynyddu. Ar ôl y rhyfela, arhosodd llai o giperiaid ar y tir a chwalwyd llawer o'r ystadau mawrion a chynyddodd y bioden ymhellach. Effaith arall y rhyfel oedd sicrhau bod amaethyddiaeth yn cael ei foderneiddio er mwyn cael mwy a mwy o dyfiant o bob erw o dir. Yng Nghymru, mwy o borfa a defaid oedd y nod, ac mae hyn wedi creu cynefin perffaith i'r bioden gan mai ei phrif fwyd ydi mwydod, chwilod a phob math o greaduriaid sy'n byw o dan y borfa.

Hyd yn oed yn ein gerddi, rydym wedi creu porfa trwy dorri'r lawnt yn rheolaidd, ac mae'r bioden hefyd yn barod i gymryd mantais o'r bwyd sydd wedi'i roi allan i'r adar bach. Mae'r coed godidog sydd wedi'u plannu i wella'r amgylchfyd yn ein trefi yn creu safleoedd da i gynnal nyth pioden, a does dim ciper o fewn milltiroedd i'w niweidio.

Dyna pam mae'r bioden wedi cynyddu, felly – ond a ydi'r frân yma'n gwneud niwed i boblogaethau adar bach? Wrth gwrs ei bod hi'n bwydo ar wyau a chywion adar bach, ac mae gweld pïod wrthi'n gwneud hynny yn gallu bod yn olygfa dorcalonnus, ond mae'r gwaith gwyddonol wnaed arnynt yn dangos nad ydi'r bioden yn cael unrhyw effaith sylweddol ar y boblogaeth ledled y wlad. Wedi dweud hynny, mae pâr o bïod yn yr ardd acw – yn ogystal â gwiwerod llwyd – wedi difa *chwech* nyth bronfraith eleni, a fydd dim croeso i'r naill na'r llall y flwyddyn nesaf.

Ymlaen â ni at yr wylan! Yn yr achos yma, gwylan y penwaig *(herring gull)* a'r wylan gefnddu leiaf *(lesser black-backed gull)* sy'n achosi'r holl broblemau i'r cyhoedd gan eu bod yn hoff o nythu ar adeiladau mewn trefi a dinasoedd o Gasnewydd i Gonwy, ac yn gallu gwneud tipyn o lanastr. Mae'r gwylanod *yno* oherwydd fod iddynt yn y mannau hynny ddigonedd o fwyd, yn ogystal â llecynnau clyd i nythu. Bydd llawer ohonom o bryd i'w gilydd yn taflu hamburger neu sglodion wedi hanner eu bwyta, a dyma'r math o bethau y mae'r adar hyn wrth eu boddau yn eu bwyta, p'run ai ar domen sbwriel neu ar y palmant. Dwi hyd yn oed yn nabod rhai pobol sy'n mynd i lan y môr yn uniongyrchol i fwydo sglodion i'r gwylanod; does dim rhyfedd bod yr adar yn ymgasglu yno.

Yn y gwyllt, hoff safle nythu'r wylan ydi ynys neu glogwyn serth allan o afael llwynogod ac anifeiliaid rheibus eraill. Yn y dref, mae toeau fflat neu ochrau adeiladau tal yn gwneud y tro'n iawn, ac yma bydd y gwylanod yn dodwy dau neu dri o wyau ac yn magu'r cywion. Fel rheol, mae'r problemau'n codi pan fo rhywun yn agosáu at nyth gyda chywion ynddo, achos bryd hynny mae'r rhieni'n fodlon ymosod.

Ateb y cynghorau lleol bob tro ydi ceisio difa'r gwylanod, ond cyn belled â bod safleoedd nythu a digonedd o fwyd ar gael, bydd y gwylanod yno ymhell ar ôl i ni ddiflannu o'r byd 'ma.

★ ★ ★

Ym mis Mai, bydd llawer o'r pryfaid yn ymddangos wrth i'r dyddiau gynhesu, ac os ydych yn pysgota'r afonydd ellwch chi ddim osgoi pryfyn Mai *(mayfly)*. Hwn ydi'r creadur bach sy'n ymddangos o ddyfnderoedd y dŵr, hedfan gyda miliynau o rai eraill, cymharu a marw o fewn un diwrnod, ac wrth wneud hynny yn rhoi gwledd i'r pysgod dan wyneb y dŵr. Ar brynhawn cynnes, bydd miloedd i'w gweld yn hedfan o fewn modfeddi i wyneb yr afon ac ambell i frithyll yn neidio o'r dŵr i'w dal. Pan fyddwn i'n pysgota gyda phluen yn Afon Efyrnwy ers talwm, pur anaml y byddwn i'n dal llawer ar nosweithiau felly gan fod gormod o fwyd naturiol i'r pysgod; fel arfer, roedd y wialen yn aros ar ei chefn ar y lan wrth imi wylio un o ryfeddodau byd natur.

Byddai un chwilen arbennig yn gyffredin dros ben ar nosweithiau cynnes tua diwedd mis Mai hefyd, sef chwilen bwm *(cockchafer beetle)*. Roeddwn i'n ei chlywed yn aml naill ai'n bwrw'r ffenestr gyda'r nos wrth iddi gael ei denu at y golau, neu wrth iddi wneud sŵn fel hofrennydd bach tra'n hedfan o gwmpas yr ardd i fwydo ar y blodau. Mae'n bryfyn enfawr gyda phen du a chorff browngoch, a bydd y larfa mawr yn byw dan wyneb y pridd ac ar adegau yn gwneud difrod i wreiddiau cnydau. Bydd ydfrain yn hoff iawn o dyllu mewn caeau i chwilio am y larfa, ac mae'r chwilen ei hun yn un o hoff fwydydd ystlumod a llawer o adar. Yn wir, credir bod y dirywiad yn niferoedd rhai adar ac ystlumod wedi cael ei achosi'n rhannol gan ddiflaniad pryfed mawr fel chwilod bwm, wrth inni ddefnyddio mwy a mwy o gemegau ar y tir.

★ ★ ★

Un o'r adar mudol olaf i gyrraedd ein glannau yn yr haf ydi hebog yr ehedydd (hobby), aderyn ysglyfaethus prin sy'n arbenigo mewn dal prae chwim fel gwennol neu was y neidr. Yn wir, y ffordd hawsaf i'w ddisgrifio fuasai ei alw'n hebog tramor gydag adenydd gwennol, gan fod ganddo fwgwd du, bol golau a chefn tywyll yr hebog, ond adenydd a chynffon llawer hirach. Dechreuodd nythu yng Ngwent yn y chwedegau, ac ers hynny mae wedi lledaenu i nythu mewn o leiaf saith sir Gymreig, gyda'r rhan helaethaf o'r boblogaeth i'w cael ar hyd y ffin gyda Lloegr.

Nid yw'n ein cyrraedd tan fis Mai, a bydd yn dewis hen nyth brân mewn coeden amlwg i ddodwy ei wyau. Mae'n gallu bod yn aderyn digon swil adeg y tymor nythu, ond yr amser gorau i'w weld ydi diwedd mis Gorffennaf a dechrau mis Awst pan fydd cywion yn y nyth. Bryd hynny, bydd y rhiaint yn brysur yn hela a gellir eu gweld yn aml yn agos at glwydfannau gwenoliaid mewn llefydd fel Llyn Syfaddan ym Mrycheiniog neu Warchodfa Lefelau Gwent yn y De. Wedi dweud hynny, bydd llawer o bobol yn dod ataf i ddweud eu bod wedi gweld yr adar yma'n hela mewn ardaloedd coediog neu ar yr ucheldir yn y Gogledd a'r Gorllewin, a dwi'n credu bod llawer mwy o barau o gwmpas y wlad sydd heb gael eu darganfod eto.

★ ★ ★

Rai blynyddoedd yn ôl, cefais gyfle i fod yn rhan o dîm a roddodd ddwy dunnell a hanner o wenwyn ar Ynys Seiriol ger Ynys Môn er mwyn difa'r miloedd o lygod mawr oedd wedi ymgartrefu yno. Yn ffodus, mae'n ymddangos bod y cynllun wedi gweithio, a'r gobaith rŵan ydi bod adar fel palod (puffins), gwylogod (guillemots) a llurs (razorbill) yn cael llonydd i nythu yno, a bod adar fel y gwylog ddu (black *guillemot)* ac aderyn drycin Manaw *(Manx Shearwater)* yn cael eu denu yno hefyd.

Yn hollol annisgwyl, nythodd pâr o hwyaid mwythblu *(eider ducks)* ar yr ynys ar ddiwedd y nawdegau, y tro cyntaf iddynt nythu mewn unrhyw le yng Nghymru. Bydd yr iâr yn defnyddio'i phlu cynnes ei hun i adeiladu'r nyth, ac yn yr hen ddyddiau byddai pobol gwledydd oer y gogledd yn casglu'r nythod ar ddiwedd y tymor nythu er mwyn gwneud 'eiderdowns'. Wrth i fwy a mwy ohonom ddefnyddio'r cwrlid cyfandirol ar y gwely mae'r arferiad yma'n prysur ddiflannu, a dwi'n falch o gael dweud bod y nyth ar Ynys Seiriol wedi cael llonydd gan ddyn a llygod mawr! Ers y flwyddyn gyntaf honno, mae o leiaf un pâr wedi'i weld o amgylch yr ynys yn flynyddol, a'r gobaith ydi y bydd y boblogaeth yn ymestyn ymhellach i'r de.

Hwyaden arall a allai ddilyn esiampl hwyaid Ynys Seiriol ydi'r hwyaden lygad aur *(goldeneye)*, sy'n gaeafu yma ond yn hedfan yn ôl i'r Gogledd pell i nythu ar ddiwedd mis Ebrill. Erbyn heddiw, fodd bynnag, mae un neu ddau o barau'n aros yn hwy, i mewn i fis Mai; maent hyd yn oed yn arddangos i'w gilydd, ond does dim un pâr wedi nythu yma eto. Yn yr Alban, llwyddodd wardeniaid i gael yr hwyaid i nythu trwy godi blychau ar hyd ochrau'r afonydd, gan mai mewn tyllau y byddant yn dodwy fel rheol. Mae llawer i flwch wedi'i godi yng Nghymru hefyd ond does dim un pâr wedi bridio hyd yn hyn. Amser a ddengys.

★ ★ ★

Un o wyrthiau mawr byd natur yng Nghymru ydi llawr coedwig gollddail yn llawn o glychau'r gog. Bob mis Mai, bydd llawer o'n coedydd fel pe baent yn tyfu allan o lyn glas, ond mae'r blodau unigol yn gallu amrywio o las tywyll i wyn. Bydd y planhigion yma'n goroesi'r gaeaf fel bwlb ac yna'n gwthio trwy'r pridd ar ddechrau'r gwanwyn. Fel rheol, maent yn arwydd o goedydd hynafol (hyd yn oed lle byddant yn tyfu wrth berthi neu ar ffriddoedd) ond dwi hefyd wedi gweld rhai ar greigiau lle nad oes coeden erioed wedi tyfu, a hyd yn oed o fewn ychydig lathenni i'r môr. Un o'r llefydd gorau i'w gweld ydi Ynys Sgomer yn Sir Benfro, a go brin bod coed wedi ffynnu mewn ardal felly yn y gorffennol.

Mae carped o glychau'r gog yn olygfa gyffredin yng ngwledydd Prydain a bydd botanegwyr o bob rhan o'r byd yn dod yma i'w gweld. Iddyn nhw, mae'n olygfa mor drawiadol â Thŵr Llundain neu Gastell Caernarfon, ond bod y sioe naturiol yma'n rhad ac am ddim. Mae'n anghyfreithlon i ddadwreiddio'r blodau 'heb ganiatâd y perchennog' erbyn heddiw, wrth gwrs. Ond os cesglir tusw ohonynt gan blentyn, er enghraifft, dyw hynny ddim yn niweidio'r planhigyn ei hun yn ormodol. Beth sy'n llawer gwaeth ydi'r arferiad newydd o gasglu'r bylbiau a'u gwerthu i'r diwydiant garddio; gan fod garddio gwyllt mor boblogaidd, mae arian mawr i'w wneud o hyn.

Dwi'n falch o weld bod rhai gwyddonwyr wedi dechrau edrych ar ddefnydd cemegol rhai o'n planhigion cyffredin ac, yn ddiweddar, maent wedi darganfod cemeg yng nghlychau'r gog sy'n effeithiol ar gyfer y clefyd AIDS. Pwy a ŵyr beth ddaw o'r planhigyn hardd yma yn y dyfodol?

★ ★ ★

Mae fy nghymydog yma ar gyrion y Drenewydd yn rhedeg fferm geffylau brysur, ac mae cerdded o amgylch y buarth fel camu 'nol chwarter canrif, gan fod y lle'n byrlymu o adar y to. Dwi'n hoff iawn o'r adar bach prysur yma ac yn poeni'n arw eu bod yn diflannu o lawr gwlad, ac yn enwedig o'n trefi a'n dinasoedd. Amcangyfrifir bod y boblogaeth wedi gostwng dros chwe deg y cant ers y saithdegau, a bod dros ddeng miliwn o'r adar wedi diflannu! Mae nhw'n brin iawn yn Llundain erbyn heddiw ac mae un papur newydd wedi cynnig miloedd o bunnoedd i unrhyw un sy'n gallu darganfod *pam* maent wedi diflannu. Yn sicr, mae diflaniad cnydau o lawer o ardaloedd wedi bod yn ffactor bwysig yma eto, ond nes bod rhywun yn gwneud gwaith ymchwil manwl i fywyd yr aderyn mae'n debyg mai parhau i ostwng y bydd y niferoedd.

Yma yng Nghymru, mae pethau'n edrych yn well ac mae'n dal i fod yn ymwelydd digon cyffredin â'n gerddi dros y gaeaf. Ar y fferm-drws-nesaf i ni, fel y crybwyllais gynnau, mae'r adar to yn ffynnu – yn bennaf, dwi'n meddwl, am fod ceirch a gwair llawn hadau yn cael ei fwydo i'r ceffylau, a bod yno ddigonedd o dyllau yma ac acw i'r adar gael nythu. Maen nhw hefyd yn hoff iawn o ymolchi mewn pyllau dŵr ac mewn llaid, gan fod hyn yn gymorth i gael gwared o barasitiaid o'r plu a'u cadw mewn cyflwr da.

Ydach chi wedi meddwl erioed lle ar y ddaear roedd adar y to, gwenoliaid y bondo, y wennol ddu a llawer o adar eraill yn nythu cyn i ddyn adeiladu tai? Wel, dim ond ichi edrych yn ofalus, mae tystiolaeth i'w gael hyd heddiw mewn rhai mannau. Pan oeddwn yn cerdded ar hyd rhan o lwybr arfordir Penfro ger Abergwaun yn ddiweddar, gwelais wenoliaid y bondo'n cario bwyd i nyth ar glogwyn serth uwchben y môr, ac yng ngwarchodfa Penclacwydd ger Llanelli, roedd adar y to'n gwneud nythod blêr o wair a phlu mewn perthi trwchus. Buasai'r wennol ddu – a'r wennol ei hun – wedi nythu ar greigiau ac mewn ogofâu, mae'n debyg, ond yn sicr fe gynyddodd poblogaethau'r adar yma i gyd unwaith y penderfynodd dyn symud i mewn i'w dŷ brics cysurus.

★ ★ ★

O gwmpas yr ugeinfed o Fai bydd llawer o adarwyr yn gwneud y bererindod i gopaon y Carneddau i chwilio am hutan y mynydd *(dotterel)*, aderyn mudol sy'n treulio rhai diwrnodau yng Nghymru ar ei ffordd o Affrica i'r Alban ac yn ôl. Mae'n eithaf hawdd i'w adnabod gan nad ydi o'n debyg i unrhyw aderyn arall sydd i'w weld ar yr ucheldir ym mis Mai. Mae ganddo gefn brown, brest lwyd, bol brown a dwy linell wen amlwg, un ar waelod ei frest a'r llall dros ei lygaid. Yr hyn sy'n ei wneud yn haws byth i'w adnabod ydi'r ffaith nad ydi o'n swil, ac mae'n hawdd mynd yn ddigon agos ato i weld y lliwiau – ond mae'n hanfodol nad ydych yn mynd yn *rhy* agos ato fel eich bod yn aflonyddu arno, gan ei fod ar daith hir ac angen amser i orffwyso a bwydo.

O dro i dro, mae pâr yn aros i nythu ar y Carneddau – y tro diwethaf i hyn ddigwydd oedd ar ddechrau'r nawdegau, a dyna pam na fydda i byth yn dringo i fyny yno i'w gweld. Mae'n llawer haws, ac yn well i'r adar, i anelu at safleoedd eraill lle byddant yn gorffwyso'n gyson, llefydd fel Pen y Gogarth yn y Gogledd, Pumlumon yn y Canolbarth a'r Mynydd Du yn Sir Gaerfyrddin. Yn y mannau yma, byddant yn treulio ychydig oriau i gael mymryn o orffwys cyn symud ymlaen i ucheldir yr Alban, lle mae tua pedwar cant a hanner o barau'n nythu.

Yn ddifyr iawn, y ceiliog sy'n gori'r wyau a magu'r cywion yn y rhywogaeth yma, a bydd yr iâr yn symud ymlaen i gymharu efo ceiliog arall, ac efallai ddau neu dri o rai eraill yn y cyfamser. Hi, felly, ydi'r mwyaf llachar o'r ddau, a'r unig amser yr aiff hi'n agos at y nyth ydi er mwyn dodwy'r wyau. Credir bod ucheldir y Carneddau yn lle addas iawn i'r aderyn, ond gyda chynifer o bobol yn cerdded i'r grib a'r tywydd yn cynhesu, go brin y bydd yn nythu'n gyson yma yn y dyfodol.

★ ★ ★

Pysgodyn sydd ar ei orau ym Mai ydi'r pysgodyn sydd ag iddo enwau llawn cymeriad yn Gymraeg ac yn Saesneg – crothell *(stickleback)*. Mae tri math gwahanol o'r grothell i'w cael yn y wlad yma – crothell dri phigyn, crothell naw pigyn a chrothell bymtheg-pigyn. Y ffordd hawsaf i wahaniaethu rhyngddynt, wrth gwrs, ydi cyfri'r pigau ar eu cefn! Ar wahân i hynny, maen nhw'n debyg iawn i'w gilydd.

Yr amser yma o'r flwyddyn, mae bol coch, cefn arian a llygaid glas trawiadol gan y ceiliogod crothell dri phigyn yn y gamlas ger y tŷ acw, ac mi fydda i'n hoff iawn o dreulio oriau'n eu gwylio ar waelodion y dŵr ymysg y tyfiant. Bydd y ceiliogod yn adeiladu twnel o nyth, ac yn denu'r iâr i mewn i ddodwy wyau ynddo. Am gyfnod, mae'r ceiliog yn dad perffaith, ac yn sicrhau bod dŵr (ac felly ocsigen) yn rhedeg drwy'r nyth yn gyson drwy ddefnyddio'i ffiniau ond, cyn hir, mae'n syrffedu ar y gwaith, ac yn gadael i'r pysgod bach wneud eu ffordd eu hunain yn y byd mawr.

Dyma'r pysgod y bydd llawer o blant yn eu dal mewn camlesi a phyllau ar hyd a lled y wlad, a chan eu bod mor gyffredin, maen nhw hefyd yn fwyd pwysig i bob math o anifeiliad ac adar (megis glas y dorlan). Y grothell dri phigyn ydi'r fwyaf cyffredin ohonynt, ac mae'r grothell bymtheg-pigyn i'w chael naill ai yn y môr neu mewn aberoedd.

★ ★ ★

Ers imi roi'r gorau iddi i chwarae rygbi'n gystadleuol, dwi'n gwneud tipyn o redeg er mwyn cadw'r bol i mewn. Bydd fy hoff lwybr rhedeg yn fy nhywys ar hyd ochr hen gamlas, ac mi fydda i a'r cŵn yn ei droedio o leiaf ddwywaith yr wythnos yn y gwanwyn a'r haf. Bob mis Mai, mae gofyn bod yn wyliadwrus pan fyddwn ni'n agosáu at bentref Aberbechan gan fod pâr o elyrch yn nythu yno a bydd y ceiliog, a elwir yn 'hissing Sid' gan y pentrefwyr, yn ymosod ar unrhyw un sy'n pasio heibio.

Yr alarch dof ydi'r aderyn mwyaf ym Mhrydain, ac mae'r enw'n tarddu o'r ffaith bod *pob* alarch yn y Canol Oesoedd yn un dof – hynny yw, roeddent yn cael eu cadw ar lynnoedd neu byllau o amgylch y cestyll a'r tai crand oedd i'w gweld ym mhobman ar y pryd, a doedd dim un alarch yn wirioneddol wyllt. Dros y canrifoedd mae'r adar wedi dychwelyd i'r gwyllt ac wedi lledaenu i gamlesi ac afonydd, a hyd yn oed i ganol dinasoedd.

Mae dau alarch arall yn ymweld â Chymru – ond yn y gaeaf y digwydd hynny. Y ddau ydi alarch Bewick (*Bewick's swan*) ac alarch y Gogledd (*Whooper swan*). Rydan ni i gyd yn gyfarwydd â phig oren a du yr alarch dof, ond pig *melyn* a du sydd gan y ddau arall. Mae alarch Bewick dipyn yn llai nag alarch y Gogledd, sy'n un ffordd o wahaniaethu rhyngddynt. Bydd haid o rai'r Gogledd yn ymgasglu ar gaeau ger y Drenewydd bob gaeaf (rhyw ugain fel rheol) – cyrhaeddodd y rheiny ar ddechrau mis Hydref a'n gadael eto am yr Arctig ym mis Ebrill.

Ond i ddod yn ôl at yr elyrch sydd efo ni drwy gydol y flwyddyn – yr elyrch dof. Does dim dwywaith nad ydyn nhw'n adar nerthol dros ben ac mae'n rhoi tipyn o fraw i unrhyw gerddwr pan ddaw alarch fel 'hissing Sid' tuag ato gyda'i adenydd yn llydan agored ac yn gwneud sŵn fel neidr wallgof. Gyda'i adenydd y bydd yn ymosod, nid gyda'i big, a dwi wedi gorfod gafael ynddo lawer gwaith a'i wthio'n ôl ar y dŵr er mwyn achub ymwelwyr diniwed. Dwi'n hoff iawn o Sid gan ei fod yn ddewr wrth amddiffyn ei gymar a'i gywion – wedi'r cyfan, y *ni* sy'n tresmasu ar ei diriogaeth *o*.

Mehefin

I mi, dyma ddechrau'r haf go iawn, ac un o fisoedd prysura'r flwyddyn i unrhyw naturiaethwr. Gan fod y tymheredd yn uchel a'r diwrnodau'n hir mae mwy na digon o fwyd i'r bywyd gwyllt – ac o amser i'w fwyta.

★ ★ ★

Os anelwch chi gyda'r hwyr am ardal ag ynddi goed conwydd gafodd eu cwympo a'u clirio yn ddiweddar, mae'n bosibl y clywch chi'r troellwr mawr (*nightjar*) yn galw. Ers talwm, roedd yr aderyn unigryw yma'n un eithaf cyffredin, ac i'w glywed yn aml ar y ffriddoedd ac o amgylch y corsydd. Ond, erbyn 1982, doedd dim ond tua wyth deg pâr ohonynt ar ôl yng Nghymru. Tua'r amser hwnnw y dechreuodd yr adar nythu mewn ardaloedd noeth lle'r oedd coed conwydd wedi'u clirio, ac o fewn deng mlynedd roedd poblogaeth Cymru wedi dyblu, gyda rhai parau'n nythu dros fil o droedfeddi uwchlaw lefel y môr.

Mae'n un o'r adar hynny sydd â chuddliw perffaith er mwyn nythu ar y llawr. Cymysgedd o frown, llwyd, oren a gwyn ydi'r plu, er mwyn gwneud i'r aderyn edrych fel dail wedi marw pan fydd yn eistedd ar wyau. Pan fyddant yn yr awyr, mae'n bosibl gwahaniaethu rhwng y ceiliog a'r iâr – mae gan yr aderyn gwryw smotiau gwyn ar ei gynffon ac ar ei adenydd (a thrwy fflachio'r rhain y bydd yn hysbysebu'i diriogaeth). Ond rydach chi'n llawer mwy tebygol o *glywed* ac nid *gweld* y troellwr mawr, gan fod y gri'n cario am filltir a mwy ar noson lonydd. Mae'n swnio fel hen droell nyddu yn mynd ar garlam; o'r fan yna y daw'r enw Cymraeg, wrth gwrs, ac un da ydi o hefyd. Ond byddwch yn ofalus i beidio cymysgu galwad yr aderyn yma gyda galwad y troellwr bach (*grasshopper warbler*). Telor bach brown, di-nod ydi hwnnw y gellir ei glywed yn galw o lecynnau lle mae digonedd o lystyfiant (megis rhosdiroedd gwlyb neu ymysg coed conwydd ifanc), ac er bod ei alwad yn debyg iawn i un y troellwr mawr, mae'r troellwr bach yn galw yn ystod y dydd yn hytrach na chyda'r hwyr.

Un tro, cefais y fraint o gael ymweld â nythod y troellwr mawr yng nghwmni adarydd o'r enw Tony Cross, sydd wedi bod yn gwneud gwaith ymchwil arnynt ers rhai blynyddoedd. Mae'r adar yn cyrraedd o Affrica tua diwedd mis Mai ac yn mynd ati'n syth i sefydlu tiriogaeth a nythu. Gwyfynod a phryfetach eraill ydi'r prif fwyd – a choeliwch chi fi, mae digonedd o wybed bach yn brathu yn y coed conwydd gyda'r hwyr. Ar y llawr moel, bydd yr iâr yn dodwy dau ŵy gwyn, a sut ar y ddaear mae Tony'n eu darganfod, dwi'n dal ddim yn deall. Pan fydd yr wyau'n deor, mae'r ddau gyw yn aros yn eu hunfan ond bydd y fam yn symud y plisgyn ŵy i ffwrdd rhag denu anifeiliaid rheibus. Mewn haf cynnes, sych, bydd dau nythaid yn bosibl, ond yn ucheldir Cymru, dim ond un cynnig ar nythu a gaiff y rhieni fel rheol.

Yn yr hen ddyddiau, roedd llawer un yn credu bod y troellwr mawr yn bwydo ar laeth gwartheg a geifr ac yn ei sugno o'r deth. O'r goel gwrach yma y daw'r hen enw Saesneg *goat sucker*. Os ydych am glywed yr aderyn yma heddiw, bydd llawer o'r ymddiriedolaethau lleol yn arwain teithiau i lefydd addas fel gwarchodfa'r gwaith powdwr ger Penrhyndeudraeth, neu goedwig Crychan yn y De-orllewin. Os ydych am *weld* yr adar, y ffordd orau ydi chwifio hances boced wen yn yr awyr ar noson dawel, gynnes, ac fe ddaw'r ceiliog i fflachio'i adenydd atoch gan ei fod yn credu bod ceiliog arall yn tresmasu ar ei diriogaeth.

★ ★ ★

Dwi'n un sy'n gwerthfawrogi byd natur yn gyffredinol, yn hytrach nag adar ac anifeiliaid yn unig, a blodau fydd yn codi 'nghalon i bob tro y byddaf yn eu gweld ydi'r tegeiriannau *(orchids)*. Mae dros ddeg ar hugain o wahanol fathau i'w gweld yng Nghymru – rhai ohonyn nhw'n brin iawn erbyn heddiw. Y lle gorau i weld toreth o'r blodau yma ydi twyni tywod fel rhai Niwbwrch ac Aberffraw ar Ynys Môn,

Harlech, Ynys-las ger Aberystwyth a Chynffig ger Pen-y-bont ar Ogwr – yn enwedig ar ddechrau mis Mehefin pan mae llawer o'r rhywogaethau ar eu gorau.

Dwi'n gyfarwydd â thegeiriannau twyni Gronant ger Prestatyn. Yma, tegeirian bera *(pyramidal orchid)* ydi'r un mwyaf cyffredin gyda'i flodau fel pyramidiau pinc, ond yma ac acw ceir rhywogaethau eraill, yn cynnwys y delaf ohonynt, tegeirian y gwenyn *(bee orchid)*. Cafodd yr enw hwn am fod y lliwiau porffor tywyll a melyn ar y blodyn yn debyg i wenyn sy'n gorffwyso, a thybir mai un dull o ddenu pryfed at y paill ydi hyn.

Mae rhai o'r teulu yma'n dal i fod yn weddol gyffredin yng Nghymru, fel tegeirian coch y gwanwyn *(early purple orchid)* a thegeirian y gors cynnar *(early marsh orchid)*, ond mae llawer un bron â diflannu. Yn anffodus, mae'r rhai prin yn denu sylw casglwyr (yn union fel y casglwyr wyau!) ac felly mae gofyn cadw'u safleoedd yn gyfrinachol, hyd yn oed ar warchodfeydd.

★ ★ ★

Un o'r llefydd gorau i fynd iddo y mis yma ydi ynys Sgomer, oddi ar arfordir Sir Benfro. Yr amser yma o'r flwyddyn mae yno gannoedd o filoedd o adar, ddydd a nos, ac os ydych wedi cael llond bol ar wyliau yng ngwlad Groeg neu Sbaen, anelwch at baradwys yr ynys yma. Mae'n cael ei rhedeg gan Ymddiriedolaeth Bywyd Gwyllt De a Gorllewin Cymru ond bydd gwyddonwyr o lawer o brifysgolion Lloegr yn helpu gyda'r gwaith ymchwil.

Mae'n ynys unigryw. Does unman arall yn neheudir Prydain lle ceir cymaint o adar y môr o fewn un lleoliad. Cyn glanio, fe welwch gannoedd o wylogod, llurs a phalod yn ogystal â bilidowcars a gwylanod, ac mae'n bosibl cael cipolwg ar lamhidyddion *(porpoises)* hefyd. Ond dim ond ar ôl cyrraedd yno y byddwch chi'n gwir sylweddoli pa mor arbennig ydi'r ynys hon. Mae dros gan mil o barau o adar drycin Manaw *(Manx shearwater)* yn nythu mewn tyllau o dan y ddaear, dros ddeng mil o balod, dros bymtheng mil o barau o wylanod, heb sôn am lawer iawn o adar sydd fel rheol yn gysylltiedig â'r tir mawr, fel y gylfinir a'r dylluan glustiog (*short-eared owl*).

Yr aderyn pwysicaf ar yr ynys ydi aderyn drycin Manaw, ac amcangyfrir bod hanner poblogaeth y byd – rhyw chwarter miliwn o barau – yn nythu ar ynysoedd Sgomer, Sgogwm ac Enlli. Mae'n treulio'r gaeaf i ffwrdd oddi yma, sef ar arfordiroedd Brasil, Uruguay a'r Ariannin, ac yn dychwelyd i'n hynysoedd yn gynnar yn y gwanwyn. Bydd yr iâr yn dodwy ei hunig ŵy mewn hen dwll cwningen, ac yno y bydd un o'r rhiaint yn treulio oriau golau dydd, allan o afael pigau creulon y gwylanod. Bydd y llall yn chwilio am fwyd yn y môr – cyn belled i ffwrdd ag oddi ar arfordir gogledd Sbaen – cyn dychwelyd i ori'r ŵy neu fwydo'r cyw tra bod ei gymar yn cael cyfle i fynd i chwilio am fwyd. Pan ddaw'r adar yn ôl i'w tyllau ar noson dywyll mae'r sŵn arallfydol yn fyddarol, a does dim rhyfedd bod rhai o'r morwyr cynnar wedi cadw draw gan eu bod yn credu mai ynys y gwrachod oedd Sgomer.

Mae'n fywyd anhygoel, yn enwedig gan nad ydynt yn dechrau nythu nes eu bod yn bum mlwydd oed o leiaf. Yn ddiweddar, daliwyd aderyn ar Ynys Enlli oedd yn hanner cant oed ac felly wedi hedfan dros bedair miliwn o filltiroedd – ac yn dal i fynd!

Yn yr wythdegau, roedd dros ugain mil o wylanod cefnddu lleiaf (*lesser black-backed gull*) yn nythu ar yr ynys, ond gostyngodd y niferoedd yn gyflym dros y degawd nesaf. Dangosodd astudiaethau fod y parau'n methu magu cywion, ac ar ôl gwaith ymchwil pellach sylweddolwyd bod y gwylanod wedi bod yn bwydo ar bysgod bach oedd yn cael eu taflu'n ôl i'r môr gan bysgotwyr ar longau pysgota o Dde Ewrop. Pan ddiflannodd y pysgod mawr, ac yn eu sgîl y llongau pysgota, diflannodd y bwyd i'r gwylanod. Heddiw, mae tua thair mil ar ddeg o barau'n nythu, ond nid yw'r llwyddiant bridio eto'n ddigon uchel i gynnal y boblogaeth.

Yn ogystal â'r adar, mae cwningod di-rif ac un llygoden fach unigryw, sef llygoden bengron Sgomer (*Skomer vole*), yn byw ar yr ynys. Isrywogaeth o'r llygoden bengron goch (*bank vole*) ydi'r un yma, ac mae'n bosibl ei gweld yn rhedeg trwy'r

ylan y penwaig ifanc.

Alarch dof.

Hwyaden yr eithin.

Gwalch marth.

Dwrgi ifanc

Tegeirian.

rhedyn ar adegau. Bydd yn byw ar fylbiau clychau'r gog ac ar y rhedyn ei hun, ac mae gwaith ymchwil wedi dangos bod ei dosbarthiad yn dilyn dosbarthiad y rhedyn.

Mae'r boblogaeth iach o lygod pengrwn yn cynnal poblogaeth orau Cymru o dylluanod clustiog. Mae'r rhain yn dylluanod y bydda i'n eu cysylltu gyda'r ucheldir, ond y lle gorau i'w gwylio ydi yma ar ynys Sgomer, lle byddant yn hela'n rheolaidd yn ystod y dydd. Fel arfer, bydd rhwng dau a chwech o barau'n nythu ond, yn 1992, nythodd dwsin o barau – dros hanner poblogaeth Cymru. Yn ogystal â'r llygod, mae'r tylluanod hefyd yn hela cwningod ifanc ac unrhyw aderyn bach a ddaw o fewn cyrraedd i'w crafangau melyn, marwol.

Gallwn barhau i sôn am Ynys Sgomer am dudalennau eto ond, yn anffodus, rhaid rhoi pen ar y mwdwl. Yr unig beth arall ddyweda i yma ydi hyn: os nad ydych chi rioed wedi ymweld â'r ynys hon ym mis Mehefin, cerwch yno cyn gynted ag sy'n bosibl.

★ ★ ★

Dwi'n cofio teithio ar hyd ffordd gefn yn ymyl Aberhonddu rai blynyddoedd yn ôl, a gweld pedair gwenci (*weasel*) fach gochfrown yn croesi'r ffordd o 'mlaen i. Stopiais yn syth, ac wrth chwibanu'n isel llwyddais i gael yr anifeiliaid bach i ddod allan o'r wal gerrig i syllu arna' i. Buont yno am bron i ddeng munud yn sefyll ar eu coesau ôl, fel pe'n ceisio penderfynu a oedd y 'peth' mawr yma oedd yn gwneud sŵn rhyfedd yn mynd i wneud pryd o fwyd da ai peidio. Wrth edrych yn ôl, dwi'n sicr mai oedolyn a thri o rai bychain oedden nhw, efallai yn symud i gartref newydd neu'n mynd i wledda ar rywbeth yr oedd y rhiant wedi'i ladd eisoes.

Bydd rhai yn cymysgu'r wenci gyda'i chefnder mawr, y carlwm (*stoat*), ond y ffordd orau i gofio p'run ydi p'run ydi meddwl am y wenci fel sosej fach gyda phedair coes, a'r carlwm fel *frankfurter* â choesau! Mae cryn dipyn o wahaniaeth ym maint y ddau: mae'r wenci mor fach, gall ddilyn llygod i lawr i'w tyllau. Hefyd, os oes blaen du i'r gynffon, carlwm ydi o ac nid wenci. Ond y maint ydi'r peth mwyaf nodweddiadol.

Mae'n ddringwr da; wn i ddim sawl gwaith rydw i wedi darganfod bod gwenci wedi dringo i mewn i flwch nythu ac wedi llarpio'r cywion, hyd yn oed os oedd y blwch wedi'i osod yn uchel ar y goeden. Llygod ydi'i hoff fwyd hi, ac mae niferoedd y gwencïod yn amrywio o flwyddyn i flwyddyn yn dibynnu ar boblogaeth eu prae. Bydd y wenci hefyd yn mynd i lawr twneli tyrchod ac yn lladd ei phrae gyda brathiad sydyn i'r gwddf. Dwi'n cofio sgwrsio gydag un hen ffarmwr a welodd wenci'n lladd cwningen, a honno dros ddwywaith maint yr anifail bach ffyrnig.

Mae'r fam yn nythu mewn hen nyth anifail arall – llygod, fel rheol – ac yno, bydd yn magu tua chwech o rhai bach. Gall fagu dau dorllwyth y flwyddyn pan mae digonedd o fwyd ar gael, a bydd hyn yn golygu'i bod yn dal i fwydo'r rhai bach hyd at fis Hydref. Dros y canrifoedd mae wedi cael ei herlid yn arw gan giperiaid ond, serch hynny, mae'r boblogaeth yn parhau i ffynnu. Er nad ydych yn gweld yr anifail yma'n aml, gellwch fentro bod gwenci'n cuddio rywle heb fod ymhell o'ch cartref.

★ ★ ★

Pan oeddwn i yn f'arddegau, byddwn yn dal y bws ysgol yn Llanwddyn i fynd am yr ysgol yn Llanfyllin. Yn ystod y daith i Lanfyllin, byddem yn pasio bryn o'r enw Pen Boncyn a oedd, bryd hynny, yn llawn eithin a rhedyn. Dwi'n cofio'n glir y byddai yna, bob mis Mehefin, ddwsin a mwy o geiliogod melyn yr eithin (*yellowhammer*) yn galw o'r gwifrau uwchben – yr aderyn godidog hwnnw gyda'r wyneb a'r bol melyn llachar. Hon fyddai'r gân y byddem ni'n ei dysgu yng 'ngwersi miwsig' yr ysgol gynradd, sef '*little-bit-of-bread-and-no-cheese*'.

Dim ots a oedd gennych ddiddordeb mewn adar ai peidio, byddai pawb yn adnabod y gân a'r aderyn bryd hynny. Dwi'n cofio hefyd deithio ar hyd lonydd bach Pen Llŷn ac Ynys Môn efo Taid a Nain yn y chwedegau hwyr, a gweld cannoedd o'r adar yma ar yr eithin wrth ochr y ffyrdd. Y dyddiau hynny, roedd ein dull o ffermio'n berffaith i adar fel melyn yr eithin – neu'r bras felen, i roi iddo'i enw safonol. Roedd bron bob amaethwr yn tyfu ychydig o gnydau ac yn cadw ychydig o wartheg a defaid, ac roedd rhywfaint o dir gwyllt llawn chwyn ar bob fferm. Hadau ydi prif fwyd yr adar bach yma ac felly byddai digonedd o geirch a chwyn iddynt wledda arnynt, yn ogystal â pherthi trwchus neu eithin i gynnal nythod. Ond dros y deng mlynedd ar hugain diwethaf mae'r cnydau a'r eithin bron wedi diflannu, a dwi'm yn meddwl bod unrhyw wers ganu mewn unrhyw ysgol gynradd heddiw yn cynnwys cân un o adar dela'r haf.

★ ★ ★

Ddwy flynedd yn ôl, ar ddiwrnod chwilboeth o Fehefin, penderfynais fwyta fy nghinio ar lan yr Afon Twymyn ger Llanbrynmair. Eisteddais gyda'r ddau gi, Ianto a Gwen, ymysg y coed rhyw ddeng medr o ochr yr afon i fwynhau sŵn y dŵr a gwylio bronwen y dŵr *(dipper)* yn plymio o dan yr wyneb ar ôl ei bwyd. Yn sydyn, o gornel fy llygaid, daliais ryw symudiad, ac wedi troi fy mhen gwelais fod dwrgi *(otter)* a dau o rai bach yn gwneud eu ffordd yn araf i lawr yr afon tuag ataf.

Doedden nhw ddim yn pysgota, roedd hynny'n amlwg, dim ond chwarae yn y pyllau bas ger y dorlan wrth symud i lawr yr afon. O dro i dro, codai'r fam ei phen a ffroeni'r awyr, ond roedd y gwynt yn chwythu i'm cyfeiriad *i* yn hytrach na'r dwrgwn, felly doedd ganddi hi na'i rhai bach ddim syniad 'mod i'n eu gwylio. Cymerodd ddeng munud, bron, iddyn nhw basio heibio imi; hyd heddiw, honna ydi'r olygfa orau gefais i rioed o'r anifeiliaid swil yma.

Cyn dechrau'r nawdegau, doeddwn i ddim wedi gweld dwrgi yng Nghymru o gwbwl, dim ond ar Ynys Mull yn yr Alban. Ond, yn hogyn bach, dwi'n cofio gwrando'n gegrwth ar storïau Taid am ddwrgwn Afon Seiont yn dwyn pysgod oddi ar y pysgotwyr. Ers talwm, wrth gwrs, roedd dwrgwn yn cael eu hela, ond gwnaeth y plaladdwyr DDT lawer mwy o ddifrod i'r boblogaeth yn y pumdegau a'r chwedegau nag a wnâi'r hela gynt. Ar ôl y cyfnod hwnnw, felly, aeth yn anifail prin iawn yng Nghymru, i'w weld ddim ond ar lond llaw o'n hafonydd.

Ers i hela a DDT gael eu gwahardd mae'r boblogaeth wedi adennill tir, a'r dyddiau hyn mi fydda i'n gweld ambell un ar lawer o'n hafonydd, yn enwedig Afon Gwy. Mae'n llawer haws chwilio am eu holion – yn enwedig eu baw, neu *spraint* yn Saesneg. Mae hwn yn cael ei ddefnyddio i farcio tiriogaeth ac fe'i gwelir mewn llefydd amlwg fel cerrig mawr yn y dŵr neu o dan bontydd. Yn ddiweddar, dangosodd arolwg bod dwrgwn i'w gweld unwaith eto ar afonydd yng nghanol trefi mawrion ac, yn wir, hon o bosib ydi 'stori o lwyddiant' amlycaf byd cadwraeth yn ein gwlad dros y chwarter canrif ddiwethaf.

★ ★ ★

Os ydych yn byw ar aber un o'n hafonydd mawrion, neu ger y môr lle mae digonedd o ddŵr bas, dyma'r amser i weld hwyaden yr eithin *(shelduck)* gyda'i chywion. Mae hon yn hwyaden ddifyr gan ei bod yn nythu'n aml mewn hen dyllau cwningod, fel rheol mewn twyni tywod, ond mae 'na gofnodion o barau'n nythu filltir a mwy o'r môr a'r iâr yn arwain y cywion i lawr tuag at y dŵr trwy goedwig ac ar draws rheilffordd brysur!

Unwaith y bydd y cywion ar y dŵr, bydd yr oedolion yn ffurfio meithrinfa a gadael degau o gywion yng ngofal un neu ddau oedolyn. Fel hyn, gall pob un fynd i ffwrdd i fwydo cyn belled â bod pawb yn cymryd ei dro i edrych ar ôl y plant. Mae fy nhad a'm mam yn byw mewn tŷ sy'n edrych dros y Fenai, a'r haf diwethaf gwelais ddau aderyn yn edrych ar ôl hanner cant a chwech o gywion. Tybed beth fyddai gan y swyddogion Iechyd a Diogelwch i'w ddweud?

Ar ddiwedd y tymor nythu bydd hwyaid yr eithin Cymru i gyd, heblaw am y cywion, yn hedfan i'r Wadden Sea ar y Cyfandir i fwrw'u plu, ac yna'n dychwelyd cyn yr hydref. Dyna pryd y bydd rhywun debycaf o'u gweld yn y mewndir, pan fydd un neu ddau'n gorffwyso ar lynnoedd ac afonydd cyn bwrw 'mlaen ar y daith.

Bydd y rhan fwyaf o'n hadar ysglyfaethus yn brysur iawn y mis yma yn bwydo llond nyth o gywion. Un aderyn sydd wedi cael llwyddiant ysgubol dros yr ugain mlynedd ddiwethaf ydi'r gwalch marth *(goshawk)*, sy'n debyg i walch glas ond yr un maint â bwncath. Diflannodd o Gymru dros bedair canrif yn ôl ond cafodd ei ail-gyflwyno gan hebogwyr yn y chwedegau a'r saithdegau; ers hynny, mae wedi ffynnu yn y coed bythwyrdd estron sy'n gorchuddio chwarter yr ucheldir.

Yn 1991, roedd yr RSPB yn drwblus iawn am yr effaith y gallai'r adar yma ei gael ar boblogaeth adar prin eraill – fel y gwalch bach *(merlin)* a'r rugiar ddu – ac felly dechreuwyd astudio parau a nythai yng Ngogledd Cymru. Casglwyd gwybodaeth am eu llwyddiant bridio yn ogystal â rhestr o'u prae, a dangosodd y canlyniadau bod yr adar ysglyfaethus yma'n barod i fwyta unrhyw beth. Cofnodwyd adar fel bronfreithiaid, ysguthanod, brain a ffesantod yn ogystal ag adar bach fel y pila werdd *(siskin)* a'r ji-binc, ac roedd ambell i bâr yn arbenigo ar ddal gwiwerod llwyd a chwningod. Ymysg rhai o'r pethau annisgwyl a gofnodwyd roedd llygod mawr, twrch daear ac un gath!

Ger un nyth yng Ngogledd-ddwyrain Cymru, roedd bwthyn bach â hen ddynes yn byw ynddo. Roedd hi'n falch iawn o'r ffaith bod yr adar prin yma'n byw ger ei thŷ, ond yn falchach byth o'r ieir arbennig oedd ganddi hi ei hun. Bob tro y byddwn i'n galw heibio, gofynnai am hynt a helynt y gwalch marth cyn rhoi adroddiad imi o'r gwobrau yr oedd yr ieir wedi'u hennill. Ar fy ymweliad olaf, roedd hi wedi digalonni'n llwyr, gan fod llwynog wedi cipio'r ieir i gyd, a bu'n rhaid imi eistedd gyda hi am dros awr yn gwrando ar ei stori, ac fel roedd hi wedi anghofio cau'r cwt un noson. Ar ôl gadael, cerddais at nyth y gwalch i fodrwyo'r pedwar cyw, ac yno roedd miloedd o blu ieir wedi'u taflu i bobman. Doedd gen i ddim calon i fynd yn ôl i ddweud wrth yr hen grydures druan beth oedd wedi digwydd i'w hieir!

★ ★ ★

Os ydych chi, fel fi, wrth eich boddau'n bwyta beth bynnag sydd ar gael yng nghefn gwlad, mae hwn yn fis da. Bydd llawer o ffrwythau'n aeddfedu yr adeg yma o'r flwyddyn, ond y rhai mwyaf blasus o'r cwbwl ydi'r mefus gwylltion. Dim ond rhai bach ydi'r ffrwythau yma, ond maen nhw'n blasu'n ardderchog – dim ond ichi eu dal cyn i'r malwod a'r gwlithod eu bwyta gyntaf. Mi fydda i'n chwilota ar hyd hen reilffyrdd a waliau cerrig am y planhigion yma, ac yn gwledda ar y mefus cochion ddwsinau ar y tro. Bydd yr hadau'n pasio trwy'r corff, ac fel hyn yn union y mae adar ac anifeiliaid gwyllt yn sicrhau bod y genhedlaeth nesaf o fefus gwylltion yn ffynnu mewn llecynnau newydd.

★ ★ ★

Un o'm hoff lefydd ar fore cynnar ym mis Mehefin ydi'r Elenydd, y darn mawr o ucheldir gwyllt rhwng Llangurig yn y Gogledd ac Abergwesyn yn y De. Byddwn yn mynd yno'n gyson gyda'r RSPB i wneud arolwg o'r adar, ac yn enwedig rhydyddion prin fel chwibanogl y mynydd neu'r cwtiad aur (*golden plover*) a phibydd y mawn (*dunlin*). Dyma gadarnle'r ddau aderyn yma yng Nghymru, ond mae dod o hyd i'r adar yn y tir gwyllt yn dipyn o gamp.

Hyd at y saithdegau, roedd y rhydyddion yma'n nythu ar fawnogydd trwy Gymru gyfan, ac er na ellid dweud eu bod yn gyffredin, roedd poblogaethau cryf ar fynyddoedd fel y Berwyn, Hiraethog a'r Mynydd Du. Dros yr ugain mlynedd dilynol gostyngodd eu niferoedd a hyd heddiw does neb yn rhy siŵr pam y digwyddodd hyn. Yn sicr, mae colli cynefin nythu a bwydo wedi bod yn bwysig, ond efallai bod rhesymau eraill hefyd.

Nytha'r ddwy rywogaeth ar y llawr, ond tra mae chwibanogl y mynydd yn nythu ar dir agored – fel y gornchwiglen – bydd pibydd y mawn yn cuddio'i nyth mewn tyfiant, a dim ond ar y funud olaf un y bydd yn codi oddi ar yr wyau a hedfan i ffwrdd os aflonyddir arno. Wn i ddim sawl gwaith rydw i bron iawn wedi rhoi 'nhroed ar nyth, a chael braw dychrynllyd wrth i'r aderyn godi'n union o dan fy sawdl. Mae'r ddau'n bwydo mewn llefydd gwahanol hefyd – y chwibanogl yn hedfan i fwydo ar wyneb caeau cyfagos, a'r pibydd yn aros ar y mawndir i dyllu'n ddwfn gyda'i grymanbig hir.

Yn yr wythdegau cynnar, roedd tua chant ac ugain o barau o chwibanogl y mynydd ar yr Elenydd, ond heddiw amcangyfrir nad oes mwy na saith deg o barau yn dychwelyd i nythu bob gwanwyn. Ar y llaw arall, mae'n debyg bod poblogaeth pibydd y mawn wedi dal ei dir yn well, ac mae tua phump a thrigain o barau yno heddiw. Mae'n anodd iawn cyfri'r adar a dyna pam ei bod hi'n bwysig mynd yno'n gynnar yn y bore i geisio'u gweld yn arddangos. Un ffordd arall ydi gwrando ar gân yr ehedydd, sy'n aml yn cynnwys yn ei gân ei hun ddynwarediad o ganeuon adar eraill sydd o'i amgylch: os clywch chi ddarn o gân y chwibanogl neu'r pibydd ynddi, rydach chi'n siŵr o ddarganfod pâr o'r adar hynny gerllaw.

★ ★ ★

Mae hwn yn fis da i astudio pryfed o bob math, yn enwedig glöynnod byw. Bydd gwahanol rywogaethau'n ymddangos ar wahanol amseroedd yn ystod y gwanwyn a'r haf, yn dibynnu ar y blodau y mae'r lindysod yn byw arnynt. Mae'r danadl poethion (y byddaf i, fel llawer arall mae'n siŵr, yn eu galw'n 'dalan poethion' neu 'dail poethion') yn blanhigion gwych i roi cartref clyd i lindysod yr iâr fach amryliw *(small tortoise-shell)* a'r peunog *(peacock butterfly)*. Dwi'n fawr o arddwr, ond dwi'n sicrhau bod digonedd o ddanadl neu ddail poethion mewn llecyn gwyllt yn yr ardd, er mwyn denu'r pryfed yma i mewn iddi.

Dau löyn byw arall yr arferwn eu gweld y mis yma yn ardal Llanwddyn oedd y copor bach *(small copper)* yn ei wisg frowngoch, a'r brithribin werdd *(green hairstreak)*, sydd â'r lliw gwyrdd golau yn amlwg bob tro y mae'n cau'i adenydd. Fel rheol, byddwn i'n dod ar draws y ddau yn torheulo ar bridd moel yn agos at ffin y mynydd agored lle'r oedd y rhedyn yn cwrdd â'r grug, a dwi'n cofio'u gwylio'n cwrso'i gilydd ar hyd y gweundir.

Planhigyn amlwg iawn yn ucheldir Eryri erbyn heddiw ydi'r rhododendron. Ydi, mae o'n blanhigyn hardd sy'n plesio'r ymwelwyr ond mae'n blanhigyn estron sy'n llyncu tir ein planhigion cynhenid. Does dim dwywaith ei fod yn blanhigyn dinistriol ac amcangyfrir y gall un planhigyn gynhyrchu dros filiwn o hadau'r flwyddyn; does dim rhyfedd bod mudiadau fel yr Ymddiriedolaeth Genedlaethol a Chyngor Cefn Gwlad Cymru yn gwario ffortiwn wrth geisio cael gwared ohono.

Yn ardal Beddgelert a Dinas Mawddwy y mae ar ei orau y mis yma, gyda'i flodau pinc hardd a'i ddail gwyrdd tywyll, sgleiniog. Yn anffodus, unwaith mae'n cael gafael, mae'n cymryd drosodd yn gyfan gwbwl. Gan ei fod yn fythwyrdd ac yn tyfu'n drwchus, does dim yn tyfu oddi tano. Ar ben hynny, mae'r gwreiddiau'n chwistrellu cemegau gwenwynig i'r pridd o'i amgylch er mwyn sicrhau nad oes unrhyw blanhigyn arall yn cystadlu am fwyd a golau, a chan ei fod yn ymwelydd eithaf diweddar nid yw'r ffwng na'r pryfed wedi cael amser i addasu i'w fwyta. Felly, heblaw am gynnal ambell i nyth aderyn du, mae bron yn hollol ddiwerth i fywyd gwyllt.

Fe'i mewnforiwyd o'r Dwyrain Canol i rai o dai mawrion Cymru dros ddwy ganrif yn ôl, ac o dai crand felly y daeth y planhigion sydd i'w gweld heddiw yn ardal Dinas Mawddwy a Beddgelert. Cafodd ychwaneg eu plannu gan helwyr fel lloches i ffesantod rhag adar ysglyfaethus, a chyn i ddyn sylweddoli ei fod yn bla roedd hi'n rhy hwyr. Amcangyfrir y buasai'n golygu gwario dros gan miliwn o bunnau i'w ddifa'n llwyr o Eryri heddiw.

★ ★ ★

Hyd yn ddiweddar iawn, un o blanhigion prinnaf Cymru oedd mwyar y Berwyn *(cloudberry)* – planhigyn yr ucheldir sydd â dail fel mieri ac sy'n tyfu ar hyd y ddaear. Y mis yma y bydd yn blodeuo. Arferid ei weld mewn llai na hanner dwsin o leoliadau ar y Berwyn, ond yn unman arall yng Nghymru, er ei fod yn ddigon cyffredin mewn rhai ardaloedd o'r Alban. Roeddwn i'n gyfarwydd â'r dail ac â'r blodau gyda'u petalau gwyn, gan fy mod wedi'u gweld ar y Berwyn lawer gwaith. Ond yn y flwyddyn 2000 – trwy hap a damwain – fe wnes i ddarganfod planhigyn ar fynydd Pumlumon. Roedd yn tyfu ar gorgors, ac er imi chwilio'n fanwl, dim ond un blodyn a welais. Mae'r botanegydd Arthur Chater wedi darganfod mwy o blanhigion ar ochr Ceredigion o'r mynydd, a deellais wedi sgwrsio gydag arbenigwyr bod cofnodion yn rhai o'r hen lyfrau o'r planhigion yma'n tyfu ar Bumlumon. Dysgais hefyd fod gweithiwr stad wedi darganfod llawer o blanhigion yn tyfu ar Gors Fenns a Whixall ar y ffin ger Wrecsam, ac felly nid yw mor brin ag yr oedd pawb yn tybio ychydig flynyddoedd yn ôl.

★ ★ ★

Yn ystod y mis yma bydd y gog yn tawelu, ar ôl bod yn galw'n ddi-baid ers iddi gyrraedd o Affrica ar ddiwedd Ebrill. Ond dydi hi ddim yn barod eto i ddychwelyd i'r de cynnes ac fe bery'r gwaith o ddodwy am fis arall. Ddiwedd Gorffennaf y bydd yr oedolion yn ein gadael, rai wythnosau cyn i'r cywion eu dilyn. Fel hogyn, roeddwn i'n adnabod y gog fel aderyn cyffredin ar yr ucheldir, ond heddiw, mae'n aderyn prin iawn.

Yn ogystal â galwad 'gw-cw' enwog y ceiliog mae'n werth cadw'ch clustiau ar agor am gân yr iâr, galwad isel sy'n swnio rhywbeth fel 'chw-chw-chw-chw-chw' cyflym. Mae'n swnio'n union fel petai'r iâr yn dwrdio'n flin, a'r ffordd orau ichi ei chlywed ydi eistedd i lawr yn dawel am ychydig mewn ardal lle bydd mwy nag un ceiliog yn galw'n gyson, a byddwch yn siŵr o glywed yr iâr yn ateb o fewn dim amser.

Gorffennaf

Bydd rhai o'm hoff blanhigion yn blodeuo ar yr ucheldir ym mis Gorffennaf, gan gynnwys llafn y bladur *(bog asphodel)* gyda'i flodau melyn. Yn y mannau gwlypaf y bydd y planhigyn hwn yn tyfu fel rheol, a chan fod y rhosdiroedd uchel yn eithaf di-liw trwy'r flwyddyn bron, mae'n hawdd adnabod ei flodau. Dau blanhigyn arall sy'n blodeuo ganol yr haf fel hyn ydi chwys yr haul *(sundew)* gyda'i flodau bach gwyn, a thafod y gors *(butterwort)* sydd â blodau bach porffor. Gan nad oes fawr o faeth yn y pridd mawnog, bydd y ddau yma'n ychwanegu at eu bwyd trwy ddal pryfed.

Mae gan chwys yr haul ddail arbennig sy'n edrych yn debyg i blatiau bach coch, gyda phigau bach â'u blaenau'n ludiog i hudo a dal unrhyw forgrugyn neu wybedyn sy'n glanio arnynt. Unwaith y bydd y pry wedi'i ddal yn hollol sownd yn y glud ar flaen y pigyn, bydd y planhigyn yn cychwyn ar y broses o dynnu'r maeth allan o gorff y pry gyda chemegau arbennig.

Mae tafod y gors yn defnyddio techneg debyg. Bydd hwn eto'n dal pryfed trwy gyfrwng glud ar y dail cyn sugno'r maeth allan ohonynt. Mae ganddo *rosette* o ddail llydan eithaf gludiog, a chaiff unrhyw bryfyn a fu mor anffodus â chael ei 'drapio' tra'n symud ar wyneb un o'r dail ei dreulio'n araf gan y planhigyn.

★ ★ ★

Trwy gydol y mis, bydd y môr-wenoliaid *(terns)* yn brysur yn bwydo'u cywion. Mae pum gwahanol rywogaeth yn nythu yng Nghymru, a dwy o'r rhain yn brin iawn erbyn heddiw. Y ddwy fwyaf niferus, a'r ddwy sy'n aml yn nythu gyda'i gilydd ydi'r fôr-wennol gyffredin *(common tern)* a môr-wennol y gogledd *(arctic tern)*. Mae'r rhain i'w gweld yn nythu ar rai o ynysoedd bach Ynys Môn, fel Ynysoedd y Moelrhoniaid ac

Ynys Feurig, yn ogystal â'r safle unigryw ar ynysoedd artiffisial yng nghanol gwaith dur Shotton ar aber y Ddyfrdwy. Mae'n anodd iawn gwahaniaethu rhwng y ddwy rywogaeth yma, ond cofiwch fod pen du i big coch y fôr-wennol gyffredin.

Dim ond ar warchodfa Cemlyn yng ngogledd Ynys Môn y mae'r fôr-wennol bigddu *(sandwich tern)* yn nythu – ond yma, ar ynysoedd yng nghanol llyn bas, mae'r adar yn cael eu gwarchod ac felly'n eithaf diogel rhag ymdrechion anifeiliaid rheibus i larpio'r wyau a'r cywion. Bydd rhwng pedwar cant a saith gant o barau'n nythu yno, ac er bod gwylanod, llwynogod a'r carlwm yn achosi problemau o dro i dro, mae'r niferoedd yn sefydlog. Hon ydi'r fwyaf o'r môr-wenoliaid sy'n bridio yng Nghymru. Yn ogystal â'r pig du gyda blaen melyn, mae ganddi dwffyn du ar dop y pen.

Bu'r fôr-wennol wridog *(roseate tern)* hefyd yn nythu yng Nghemlyn am flynyddoedd lawer. Ond, yn yr wythdegau, ar Ynys Feurig (eto ym Môn) fe nythai canran uchel o boblogaeth Prydain o'r adar yma – dros ddau gant o barau. Erbyn heddiw, dim ond llond llaw o barau sy'n weddill, yn rhannol oherwydd bod llawer o'r adar wedi'u dychryn gan hebogiaid tramor ac wedi symud ar draws Môr yr Iwerydd i Ynys Rockabill. Rydym yn gwybod hyn oherwydd bod adar a gafodd eu modrwyo fel cywion ar Ynys Feurig wedi cael eu gweld yn nythu flynyddoedd yn ddiweddarach yn Iwerddon. Mae hon yn un arbennig o dlws, hefo'r lliw gwridog ar ei bol, adenydd golau a phig cochddu.

Yr olaf o'r pump ydi'r un leiaf hefyd, sef y fôr-wennol fechan *(little tern)* – aderyn hardd eto, gyda phig melyn â'i flaen yn ddu a thalcen gwyn amlwg. Hyd at y saithdegau roedd yr aderyn yma i'w weld yn nythu mewn pump o wahanol safleoedd o Dywyn ym Meirionnydd i aber y Ddyfrdwy, ond erbyn hyn dim ond y cytref yng Ngronant ger Prestatyn sy'n parhau. Mae'r safle yma wedi cael ei warchod gan yr RSPB ers 1975, a thros y cyfnod hwnnw mae'r niferoedd wedi dringo o bymtheg pâr i dros bedwar ugain o barau. Er bod y niferoedd yn amrywio o flwyddyn i flwyddyn, mae'r llwyddiant bridio yn galonogol ar y cyfan, ond mae gofyn parhau i warchod yr adar yn ofalus. Mae ffens drydan yn cael ei chodi o amgylch y nythod er mwyn eu diogelu rhag y llwynogod, y wencïod a'r draenogod sy'n cael lloches yn y twyni gerllaw, a bydd byddin o wardeniaid a gwirfoddolwyr yn ceisio cadw'r cudyll coch a'r brain draw.

Achoswyd y prinhau hwn yn achos y môr-wenoliaid yn bennaf gan ddyn, oherwydd y newid yn ei ffordd o fyw. Ers talwm, roedd yr arfordir bron ym mhobman yn lle tawel a roddai loches bwysig i'r adar, ond wrth i fwy o bobol ymweld â'n traethau (ac felly aflonyddu ar y môr-wenoliaid), bu raid i'r adar hyn gilio i ynysoedd mwy anghysbell a thraethau llai poblogaidd ein gwlad.

★ ★ ★

Planhigyn sy'n dod â lliw i'r perthi yr amser yma o'r flwyddyn ydi'r rhosyn gwyllt *(dog rose)*, gyda'i flodau crwn, pinc, ac yn nes ymlaen yn yr hydref, ei aeron cochion. A dweud y gwir, gall y blodau amrywio o fod yn binc tywyll i fod yn wyn ac mae'r planhigyn ei hun yn amrywio o fod yn llwyn byr mewn gwrych i un sy'n dringo i fyny coed eraill, hyd at uchder o bum medr a mwy.

Mae'r aeron yr un mor amlwg â'r blodau. Ers talwm, gwneid cacenni a phob math o fwydydd eraill o risgl yr aeron. Mae Mam yn dal i gofio plant yn cael arian am gasglu'r ffrwythau yma adeg yr Ail Ryfel Byd, er mwyn gwneud surop arbennig yn llawn fitamin C. Bryd hynny roedd ffrwythau fel oren yn brin iawn ac felly roedd y surop yn ychwanegiad pwysig i ymborth trigolion y wlad. Roedd yr hadau y tu mewn i'r rhisgl yn ddefnyddiol hefyd gan eu bod yn cosi'n ofnadwy pan gyffyrddent â'r croen – byddem ni'r plant yn eu defnyddio'n aml i'w taflu i lawr cefnau plant eraill i gael effaith fel powdwr cosi!

Mae'n blanhigyn pigog tu hwnt ac yn lle gwych i adar nythu. Yn gynnar yn y gwanwyn, mi fydda i'n dod o hyd i lawer o nythod titws cynffon hir yn y llwyni mwyaf trwchus. Cadwch lygad allan hefyd am 'glustog robin goch' – clwstwr crwn, trwchus o 'wlân' coch a gwyrdd sy'n tyfu allan o goes y planhigyn. Nid gwlân ydi o mewn gwirionedd ond y lle mae cacwn wedi dodwy wyau ar y planhigyn. Unwaith y bydd y lindysyn wedi deor, bydd yn tyllu i mewn i'r planhigyn, a bydd hyn yn gwneud i'r rhosyn gwyllt dyfu cannoedd o goesau main mewn clwstwr gyda'i gilydd. Bydd y rhain wedyn yn diogelu'r cynrhonyn bach wrth iddo ddatblygu, hyd nes y bydd y cacwn newydd yn tyllu'i ffordd allan yn y gwanwyn.

★ ★ ★

Cerwch am dro trwy'r goedwig y mis hwn, a byddwch yn darganfod ei bod yn gallu bod yn ddistaw fel y bedd yno! O fewn dyddiau, bron, mae bwrlwm misoedd Mai a Mehefin wedi diflannu a'r adar hefyd fel petaent i gyd wedi diflannu. Y gwir ydi bod yr adar yn dal yno ond bod eu blaenoriaethau wedi newid. Erbyn rŵan, â'r cywion wedi gadael y nyth, eu bwydo nhw ydi'r gwaith pwysicaf – nid amddiffyn nyth neu ganu am gymar. O'r herwydd, mae'r adar yn dawel ond yn brysur iawn yn chwilio am fwyd a bwydo'r cywion, a chan fod llawer o hyn yn mynd ymlaen dan ganopi tyfiant y goedwig, mae'n anodd iawn eu gweld.

Ar ein hafonydd a'n llynnoedd, mae'r tymor nythu yn tynnu at ei derfyn i'r hwyaid hefyd a byddant yn manteisio ar y cyfnod tawel i fwrw'u plu. Mae lliwiau hardd y ceiliogod yn diflannu ac yn eu lle daw plu llwydfrown di-nod. Bryd hyn, mae'n anodd iawn gwahaniaethu rhwng llawer o'r rhywog-aethau (ac, yn wir, rhwng y ceiliog a'r iâr weithiau). Bydd rhai adar yn bwrw plu mawr yr adenydd yn raddol – fel yr adar ysglyfaethus, sy'n dibynnu ar eu meistrolaeth o'r awyr i ddal eu prae – ond mae'r hwyaid a'r elyrch yn bwrw'u plu i gyd o fewn amser byr, gan fod digonedd o fwyd yn ein dyfroedd ym mis Gorffennaf heb orfod hedfan i'w geisio. Ond mae hyn yn eu gosod mewn perygl mawr o gael eu llarpio gan lwynogod, felly mae gofyn iddynt gadw'u llygaid ar agor a dewis safle diogel i glwydo.

★ ★ ★

Pan oeddwn i'n tyfu i fyny, roeddwn i wrth fy modd yn

pysgota brithyll yn yr Afon Efyrnwy o dan yr argae mawr. O fewn un noswaith, fyddwn i'n meddwl dim o gerdded milltiroedd er mwyn ceisio dal y pysgod. I mi, dim ond rhan fach o'r pleser oedd dal y pysgodyn – yr un mor bwysig oedd cael bod allan ac eistedd yn dawel ar y dorlan i fwynhau'r bywyd gwyllt. Un anifail cyffredin iawn ar hyd ochrau'r afon bryd hynny oedd llygoden bengron y dŵr *(water vole)*, a fyddai dim un noson yn mynd heibio heb imi'i chlywed yn plopian i mewn i'r dŵr a'i gweld yn nofio o un ochr i'r llall. Roedd tyllau ym mhobman hefyd oedd yn gwneud i'r dorlan edrych fel darn o gaws mewn mannau, a dwi'n cofio darganfod pentyrrau o wair wedi'i dorri a hanner ei fwyta, a phentyrrau o faw gerllaw rhai o'r tyllau.

Ar ôl mynd i ffwrdd i'r coleg yn 1980, welais i byth wedyn lygoden y dŵr yn ardal Llanwddyn. Yn wir, mi aeth ugain mlynedd heibio cyn imi weld un arall o gwbwl, a thrist iawn yw deall bod y boblogaeth ledled y wlad wedi gostwng dros naw deg y cant mewn llai nag ugain mlynedd. Mae'r rhesymau'n gymhleth, ond y ddau reswm pennaf ydi lledaeniad y minc – yr anifail a gafodd ei gyflwyno'n ddamweiniol o America – a diflaniad y tyfiant o ochrau'r afonydd o achos pori gan ddefaid a gwartheg. Roedd y tyfiant yn rhoi bwyd a lloches bwysig i'r anifail yma (yn ogystal ag i'r dwrgi), ond gyda diflaniad y tyfiant, mae hi'n llawer haws i'r minc ddarganfod y llygod a'u tyllau. Mae rhai wedi ceisio cadw rheolaeth ar boblogaeth y minc, ond erbyn heddiw mae'n bla ym mhobman a does dim gobaith ei ddifa.

★ ★ ★

Mae noson braf o haf wastad yn fy atgoffa o ddau aderyn sydd bellach, gwaetha'r modd, wedi diflannu o'n cefn gwlad, sef rhegen yr ŷd *(corncrake)* a'r eos *(nightingale)*.

Hyd at yr Ail Ryfel Byd, roedd y rhegen yn aderyn cyffredin iawn ar ffermdir drwy Gymru gyfan. Er na fu'r eos erioed mor gyffredin, clywid hithau'n canu gyda'r hwyr mewn coedwigoedd yn yr iseldir dwyreiniol ers talwm.

Fe ddywedodd Taid wrtha' i lawer gwaith ei fod o'n cofio amser, ychydig ar ôl troad y ganrif ddiwethaf, pan oedd rhegennod yr ŷd mor niferus fel y byddent yn cadw ffermwyr yn effro yn y nos gyda'u sŵn unigryw. Cefais hefyd y fraint o sgwrsio rai blynyddoedd yn ôl gyda'r diweddar Ted Breeze Jones, naturiaethwr enwocaf Cymru, a ddywedodd wrthyf ei fod wedi beicio un noson yn y pedwardegau hwyr o un ochr i Ynys Môn i'r llall, a chlywodd o leiaf un regen yr ŷd yn canu yr holl ffordd. Bryd hynny, roedd Môn yn ogystal â Phen Llŷn yn enwog fel cadarnleoedd i'r aderyn bach digon di-nod yma, ond yn y saithdegau fe nythodd y pâr olaf yng Nghymru.

Mae hi'n stori gyfarwydd. Ein dulliau dwys o amaethu achosodd i'r rhegen ddiflannu. Yn yr hen ddyddiau, gallai nythu'n ddiogel mewn caeau gwair llawn pryfetach, ond yn yr oes fodern caiff y silwair ei dorri'n gynnar a does fawr o bryfed yn goroesi'r holl gemegau a ddefnyddir ar y tir. Mae'r boblogaeth fechan yng Ngorllewin yr Alban yn cynyddu'n araf ond does dim gobaith iddi ddychwelyd i Gymru yn y dyfodol agos.

Aderyn y goedwig ydi'r eos a manteisiodd ar y dulliau traddodiadol o reoli coedwigoedd. Roedd yn niferus pan oedd ein coedwigoedd yn cael eu bôn-docio'n gyson er mwyn defnyddio'r coed ifanc i adeiladu neu i wneud golosg. Roedd hyn yn 'agor i fyny' y goedwig ac yn hybu'r llystyfiant ar y llawr, ac felly roedd pryfetach o bob math yn ffynnu hefyd. Does dim ond rhaid edrych ar enwau llefydd fel Nanteos yng Ngheredigion i weld pa mor gyffredin oedd yr aderyn ar un adeg, ond wrth inni gefnu ar ein coedydd cynhenid fe ddiflannodd yr eos. Hwn, yn ôl llawer o bobol, ydi'r aderyn sydd â'r gân fwyaf swynol o blith holl adar gwledydd Prydain. Byddai unrhyw un a gafodd y fraint o wrando ar hanner dwsin o geiliogod yn canu gyda'i gilydd wrth iddi nosi yn ei chael hi'n anodd iawn anghytuno â'r farn honno.

★ ★ ★

Dwi'n ffodus iawn yma yn Y Drenewydd 'mod i'n byw o fewn tafliad carreg i hen gamlas Trefaldwyn. Cafodd ei hadeiladu i gludo gwlân a chig oddi yma i ganolbarth Lloegr, ond does dim un cwch wedi teithio arni ers hanner canrif a mwy. Bellach, o'r herwydd, mae wedi datblygu i fod yn lloches bwysig i fywyd gwyllt. Yn yr haf, mae'n fyw o fursennod *(damselflies)*, ieir dŵr a physgod – ond un anifail arbennig fydda' i'n ei weld yno ganol haf ydi neidr y gwair.

Hon ydi neidr fwyaf Cymru, yn tyfu i dros fedr a hanner o hyd, gyda lliwiau gwyrdd a du ar hyd ei chorff a choler felen amlwg. Mae'n hollol ddiniwed ac yn hoff iawn o ddŵr, yn enwedig lle bo digon o dyfiant ar hyd yr ochrau ger y dŵr. Mae'r gamlas, felly, yn gynefin perffaith iddi.

Bydd yn bwydo ar anifeiliaid ac amffibiaid yn bennaf, ond mi fwytith hi unrhyw aderyn sy'n ddigon ffôl i fynd yn rhy agos at ei cheg fawr! Ar y gamlas, mae llyffantod yn fwyd pwysig, ac un prynhawn gwyliais y neidr gwair fwyaf welais i erioed yn hela llyffant gwyrdd, tew. Roedd y llyffant yn cysgodi rhag yr haul yn ymyl y brwyn, ond wrth i'r neidr agosáu chwythodd y llyffant ei hun i fyny fel ei fod bron ddwywaith ei faint naturiol, a chododd i fyny ar ei goesau er mwyn gwneud iddo'i hun edrych yn fwy fyth. Dwi ddim yn siwr a gafodd y neidr fraw ai peidio – efallai nad oedd ganddi awydd ceisio bwyta rhywbeth oedd yn ymddangos yn beth mawr – ond mi weithiodd tactegau'r llyffant yn berffaith, a diflannodd y neidr i'r llystyfiant gerllaw.

★ ★ ★

Tua'r adeg yma o'r flwyddyn, mi fydda i'n debygol o dderbyn galwad ffôn i ddweud bod euryn *(golden oriole)* wedi'i weld mewn gardd yn rhywle neu'i gilydd. Mae'r euryn, wrth gwrs, yn ymwelydd haf prin iawn sy'n nythu yn Ne-ddwyrain Lloegr, ond o dro i dro bydd un neu ddau i'w gweld yma yng Nghymru yn ogystal. Mae'r iâr yn wyrdd a'r ceiliog yn felyn llachar gydag ychydig o ddu ar ei adenydd, ond yr iâr yw'r un y bydd pobl yn meddwl eu bod wedi'i gweld yma mewn gerddi. Naw gwaith allan o ddeg, nid euryn ydi'r aderyn ond cyw cnocell werdd sydd wedi mentro i'r ardd gyda'i rieni i chwilio am fwyd. Lle mae pen coch gan y rhieni, mae cyw cnocell werdd yn felynwyrdd i gyd ac felly'n debyg i iâr euryn, ond os gwelwch yr adar yn *agos* wnewch chi ddim cymysgu rhyngddynt.

Yn wahanol i'r gnocell fraith, bydd y werdd yn treulio tipyn o amser ar y llawr, yn enwedig ar hen borfeydd a lawntiau mawrion lle ceir digonedd o forgrug. Mae ganddi dafod hir, gludog sy'n cael ei ddefnyddio i sugno'r morgrug o'u nythod, a bydd hefyd yn defnyddio'r asid y mae'r pryfed yn ei chwistrellu i lanhau'i phlu. Fel pob cnocell, mae'n nythu mewn twll crwn mewn coeden, ond gyda diflaniad yr hen borfeydd llawn pryfed a llawer o hen goed, mae'r gnocell yma wedi prinhau, yn enwedig yn y gorllewin. Felly, ym mis Gorffennaf yn arbennig, cadwch olwg am yr adar lliwgar yma – ond peidiwch ag anghofio y bydd yr euryn prin yntau yn mentro i Gymru ar adegau!

★ ★ ★

O dro i dro, bydd rhywbeth yn digwydd sy'n eich atgoffa cymaint o bethau sydd wedi newid ym myd natur dros y blynyddoedd. Digwyddodd hyn i mi pan oeddwn allan yn Ffrainc un mis Gorffennaf, ac yn cerdded ar hyd llwybr oedd yn arwain trwy gae gwair. Roedd y lle'n berwi gyda sbonciaid y gwair o bob lliw a llun, a finnau heb weld na chlywed cymaint ohonynt gyda'i gilydd ers pan oeddwn yn hogyn bach. Daeth ag atgofion melys yn ôl i mi o gerdded tuag at y siop yn Llanwddyn, yn 'clywed' y cae cyfagos yn llawn o'r pryfetach yma ond yn gweld dim arlliw ohonynt yn amlach na pheidio. Gwnânt y sŵn clecian digri trwy rwbio'u coesau ôl yn erbyn eu cyrff. Heddiw, os clywaf un neu ddau yn canu, byddaf yn aros i wrando (ac i wylio, os gallaf eu gweld) ond afraid dweud mai pur anaml bellach y llwyddaf i'w gweld na'u clywed.

★ ★ ★

Yr haf ydi'r amser gorau i weld gwyfynod, ond gan fod y rhan fwyaf ohonynt yn hedfan gyda'r nos does fawr neb wedi rhoi llawer o sylw iddynt tan yn ddiweddar iawn. Y dyddiau hyn, bydd llawer o naturiaethwyr yn rhoi trap golau allan dros nos er mwyn denu'r pryfed, ac yn y bore bydd gwyfynod o bob lliw a llun wedi'u dal ynddo. Mae'r amrywiaeth yn dibynnu ar lawer o ffactorau, yn cynnwys yr amser o'r flwyddyn, y tywydd a'r cynefin, ond wrth drapio'n wythnosol mae'n bosibl adeiladu darlun cyflawn o'r gwyfynod sydd o gwmpas.

Un grŵp amlwg iawn ydi'r gwalchod *(hawkmoths)*, sy'n rhai o'r gwyfynod mwyaf a geir ym Mhrydain. Yn ardal Llanwddyn bob dechrau Gorffennaf, arferwn weld llawer o walchod yr eliffant *(elephant hawkmoth)*, gan fod eu lindys yn bwydo ar yr helyglys hardd *(rose-bay willowherb)* a digonedd ohono'n tyfu o amgylch y pentref. Wedi symud i lawr i iseldir Cwm Hafren, dwi'n gweld mwy o walchod y boplysen *(poplar hawkmoths)* gan fod hoff fwyd y lindys yma, sef coed poplys a helyg, yn gyffredin yn y cwm. Mae sawl gwahanol fath o'r gwyfynod hyn i'w gweld ac mae'n werth mynd allan gydag arbenigwr sydd wedi gosod trap golau, gan fod ambell un yn lliwgar dros ben.

★ ★ ★

Unwaith y mis, rhwng mis Mawrth a mis Gorffennaf, byddaf yn cerdded saith cilomedr o Afon Hafren er mwyn cofnodi'r bywyd gwyllt. Mae'r darn yn cynnwys dwrgwn a minc, pedwar pâr o hwyaid danheddog, tri phâr o fronwen y dŵr, o leiaf dri phâr o ieir dŵr, ac fel rheol dair tiriogaeth yn perthyn i las y dorlan *(kingfisher)*.

Yn 2002 doedd dim un pâr o las y dorlan i'w weld yno. Am gyfnod, bu'n ddirgelwch i mi pam nad oeddynt wedi nythu, yn enwedig â'r gaeafau wedi bod mor fwyn. Wedi sgwrsio hefo ffrind sy'n monitro'r adar yma yn Ne Cymru, dwi'n ddeall mai'r llifogydd sydd wedi achosi'r dirywiad. Dros y blynyddoedd diwethaf rydym wedi cael llifogydd garw adeg nythu, gyda'r dŵr yn gorchuddio'r tyllau nythu am ddyddiau ac felly'n lladd y cywion. Mae hyn wedi achosi i'r parau ddiflannu, nid yn unig o'r Drenewydd ond o'r afonydd i gyd a gafodd eu heffeithio gan lifogydd.

Rhywbeth arall sy'n ddifyr am hyn i gyd ydi'r ffaith bod adar glas y dorlan eraill yn ymddangos yn y Drenewydd ym mis Gorffennaf, a dwi'n sicr mai cywion ydi'r rhain sy'n lledaenu o'u cartrefi er mwyn chwilio am diriogaeth eu hunain. O fewn pythefnos ym mis Gorffennaf 2002 aeth y boblogaeth yn yr ardal yma o fod yn ddim i fod yn dair tiriogaeth. Cyn belled â bod y cynefin yn ffafriol, gall natur adennill tir yn gyflym iawn – felly rhaid inni beidio â bod yn *rhy* ddigalon.

★ ★ ★

Hanner canrif yn ôl roedd llawer o'n glöynnod byw gryn dipyn yn fwy cyffredin nag y maen nhw bellach. Rydw i wedi bod yn ddigon ffodus i weld un o'r rhai prinnaf yn ei gadarnle olaf, bron, yng Nghymru, a hynny ger Dolanog. Sôn rydw i am y fritheg frown *(high brown fritillary)*, sydd erbyn heddiw yn hollol ddibynnol ar ardaloedd cynnes lle ceir ffriddoedd â digonedd o fioledau yn tyfu ynddynt lle gall y lindys fwydo. Mae llawer o broblemau yn gysylltiedig â'r gwaith o sicrhau dyfodol i'r glöynnod byw hardd yma. Mae'n rhaid gallu'u hadnabod i gychwyn, ac i rywun fel fi sydd ddim yn arbenigwr, mae'n waith digon anodd.

Mae sawl cangen o deulu'r fritheg i'w gweld yng nghefn gwlad Cymru, pob un ohonynt yn batrymau cymhleth o ddu ac oren, a phob un â'i batrwm gwahanol. Neu o leiaf, dyna beth mae'r arbenigwyr yn ei ddweud! Yn draddodiadol, roedd hon yn gysylltiedig â choedwigoedd agored lle byddai'r oedolion i'w gweld yn bwydo ar ysgall, ond wrth i'r coed addas ddiflannu yng Nghymru maen nhw wedi cilio i'r ffriddoedd. Os nad oes digon o bori ar y llecynnau yma mi fydd y coed yn cymryd drosodd; gormod o bori a bydd y fioledau'n diflannu. Mae arbenigwyr yn cydweithio gyda pherchnogion y tir lle mae'r glöynnod byw i'w gweld ger Dolanog, ond hyd yn hyn dydi'r dyfodol ddim yn edrych yn rhy obeithiol i'r fritheg frown, mae gen i ofn.

★ ★ ★

Mae plant ysgol yn arbenigwyr ar dwyllo'u ffrindiau ac ennill arian ar yr un pryd, rhai yn ei wneud trwy chwarae cardiau ac eraill trwy werthu cardiau peldroed. Byddwn i'n ennill hanner can ceiniog ar y tro drwy afael yn un o'r pryfed mwyaf peryglus yr olwg yn y wlad, y cacwn coed enfawr *(giant wood wasps)*. Mae'n gacynyn anferth, tua phum centimedr o hyd, gyda phen a chefn du, corff melyn a cholyn cas yr olwg ar ei ben ôl. Ond twyll ydi'r holl beth! Creadur hollol ddiniwed ydi o – nid colyn ond wyddodydd, sef teclyn arbennig sydd gan yr un fenywaidd i ddodwy wyau, ydi'r pigyn erchyll. Mae'r gwryw yn llawer llai o faint a llai bygythiol yr olwg na'r fenyw. Gan nad ydi o mor amlwg, mae'n dilyn na fydd o'n cael ei weld mor aml.

Mae hwn yn bryf cyffredin mewn ardaloedd lle mae digonedd o goed conwydd, a bydd y pryfaid benywaidd yn dodwy eu hwyau'n ddwfn tu mewn i goed afiach neu rai newydd gael eu torri. Gall y larfa gymryd hyd at dair blynedd i aeddfedu, a bydd llawer un yn marw wrth i'r coed gael eu cludo oddi yno a'u chwistrellu gyda chemegau er mwyn eu defnyddio at bwrpas adeiladu.

★ ★ ★

Ni all unrhyw un sy'n cerdded ochr afon yn gyson y dyddiau hyn osgoi gweld planhigyn anferthol o'r enw efwr enfawr (*giant hogweed*), sy'n aml yn ffynnu ar dorlannau'n hafonydd. Gyda'i goes drwchus, gall dyfu i fod hyd at bedwar medr o daldra, ac mae'r dail a'r blodau gwyn yn debyg iawn i'w berthynas agos yr efwr (*hogweed*), ond bod yr efwr enfawr yn llawer mwy. Planhigyn estron ydi o, wedi'i fewnforio o fynyddoedd y Caucasus yn Asia i erddi crand tai bonedd oes Fictoria. Er hynny, doedd 'na fawr o sôn amdano yn y wlad yma cyn 1970.

Yr haf hwnnw, cludwyd llawer o blant i'r ysbytai gyda phothelli ar eu gwefusau, ac o fewn dim fe ddarganfuwyd eu bod wedi bod yn defnyddio coesau'r efydd enfawr fel saethwr pys a bod y sudd o'r planhigyn wedi'u llosgi. Yn ôl y sôn, mae'r sudd yn gwneud i'n crwyn ni fod yn sensitif i olau'r haul ac felly bydd y crwyn yn pothellu a chochi am gyfnodau hir.

Ers y flwyddyn honno, mae wedi cael ei chwistrellu yn ddidrugaredd er mwyn ceisio cael gwared ohono, ond ofer fu'r gwaith. Gall pob un planhigyn gynhyrchu dros bum mil o hadau a chan ei fod yn aml yn byw wrth ymyl afonydd, caiff y rhain eu lledaenu ymhell ac yn gyflym iawn. Mae arna' i ofn bod yr efydd enfawr yma i aros ond gobeithio bod plant heddiw yn gwybod tipyn mwy amdano.

★ ★ ★

Y llynedd, treuliais benwythnos difyr iawn ddechrau mis Gorffennaf ar Ynys Dewi oddi ar arfordir Sir Benfro. Yno i weld yr adar môr a'r brain coesgoch yr oeddwn i'n bennaf, ond wrth fynd am dro gyda'r nos i chwilio am adar drycin Manaw, gwelais ddwsinau o oleuadau bach yn sgleinio ymysg y tyfiant. Wrth agosau, gwelais mai magïod *(glow-worms)* – neu 'tân-bach-diniwed' – oedden nhw, sef chwilod arbennig sy'n gallu cynhyrchu golau o fewn eu cyrff.

Mae'r oedolion yn chwilod di-nod brown, a'r larfa'n bwydo ar falwod a gwlithod drwy chwistrellu cemegau i mewn i'r corff ac yna sugno canol yr anifail i gyd allan. Ond y golau gwyrddlas sy'n eu gwneud mor unigryw. Cemeg o'r enw *luciferin* sy'n cynhyrchu'r goleuni pan ddaw i gysylltiad ag ocsigen, a bydd y chwilen fenywaidd yn ei ddefnyddio gyda'r nos i ddenu'r rhai gwrywaidd. Ar Ynys Dewi, roeddynt wedi dringo i fyny'r rhedyn er mwyn bod yn fwy amlwg. Gyda dwsinau ohonynt ar yr un llethr, roedd yn olygfa drawiadol dros ben.

Trwy gydol y dydd byddant yn cuddio o dan gerrig neu mewn tyllau yn y ddaear. Dwi wedi clywed llawer un yn dweud eu bod yn llawer iawn mwy niferus ers talwm. Dim ond ar rai o ynysoedd Penfro yr ydw innau wedi gweld yr olygfa ryfeddol yma; dwi'n sicr na welid mohonyn nhw o gwmpas Llanwddyn ers talwm, a fydda i ddim yn eu gweld o gwmpas y Drenewydd heddiw chwaith. Ond tybed faint sydd 'na, yn goleuo'r nos, ar ôl i ni gau'r llenni...?

★ ★ ★

Ar ôl cymaint o newyddion drwg am fywyd gwyllt yn prinhau ac yn diflannu o'n cefn gwlad, dwi am orffen y mis gyda newyddion da! Mae'r durtur dorchog *(collared dove)* yn aderyn cyfarwydd i'r rhan fwyaf ohonom erbyn heddiw gyda'i gorff brown golau, y goler ddu a'r gân swynol. Yn wir, mae'n gyffredin iawn mewn gerddi a pharciau ar hyd a lled y

101

wlad, a hyd yn oed yng nghanol ein dinasoedd. Mae'n anodd credu mai dim ond yn 1959 y nythodd y pâr cyntaf yn y wlad yma.

Ganrif yn ôl, doedd neb erioed wedi gweld turtur dorchog ym Mhrydain, achos bryd hynny yn Ne Asia a'r Dwyrain Canol y byddai'n nythu. Lledaenodd y boblogaeth yn sydyn iawn o tua 1930 ymlaen, ac erbyn 1955 roedd wedi cyrraedd Lloegr. Bedair blynedd yn ddiweddarach, cyrhaeddodd o leiaf dri aderyn Sir Gaernarfon, ac o fewn deng mlynedd roeddynt wedi cael eu cofnodi yn nythu ymhob sir yng Nghymru.

Adar yr iseldir ydynt, gan amlaf yn gysylltiedig â phobl mewn rhyw ffordd neu'i gilydd. Pan fydd y tywydd a'r cynefin yn ffafriol gallant fridio trwy'r flwyddyn. Bob mis Gorffennaf, bydd pâr sy'n nythu mewn gardd gyfagos i'n tŷ ni yn taflu un nythaid o gywion allan, ac yn dechrau ar y 'canu grwndi' cyn mynd ati i adeiladu nyth unwaith eto. Bydd y ceiliog yn arddangos i'r iâr trwy hedfan uwchben y safle nythu gan ddangos iddi'r lliwiau gwyn llachar ar ei adenydd a'i gynffon, ac yna byddwn yn eu gweld yn eistedd ochr yn ochr ar y gwifrau cyn cymharu. Dim ond wedyn y byddant yn cychwyn ar y dasg o fagu teulu unwaith eto.

Awst

Pan fydda i'n gweld y gwenoliaid duon fu'n sgrechian uwchben y Drenewydd am dri mis yn paratoi i adael Cymru ddechrau mis Awst, byddaf yn gorfod derbyn bod haf byr arall yn tynnu tua'i derfyn – gwaetha'r modd! Mae'r wennol ddu (*swift*) ymhlith y rhai olaf o'r adar mudol i gyrraedd yma – tua diwedd mis Ebrill – ond yn un o'r rhai cyntaf i ffarwelio â ni.

Mae'r adar yma'n treulio rhan helaethaf eu bywydau yn yr awyr – maen nhw'n bwydo, cymharu a chysgu ar yr adain. O dreulio cyn lleied o amser ar y ddaear, mae'r coesau a'r traed yn wan ac yn dda i ddim ond i hongian ar ochrau adeiladau. Ond os ydynt yn drwmsglwth ar y llawr, maen nhw'n feistri yn yr awyr: does dim un aderyn arall wedi addasu mor berffaith i hedfan â'r wennol ddu. Mae hi'n debyg i saeth, gydag adenydd hir, tywyll yn crymanu'n ôl tuag at y gynffon a chorff siâp torpido sy'n torri trwy'r awyr. Gall hedfan yn gyfforddus am gyfnodau hir ar gyflymdra o dros naw deg cilomedr yr awr.

Fel llawer o'n hadar mudol, bydd yn gaeafu yn Ne Affrica. Unwaith y bydd hi wedi gadael Cymru fydd hi ddim yn glanio yn unlle wedyn nes dod yn ôl yma naw mis yn ddiweddarach. Trwy gydol mis Mai bydd y gwenoliaid duon i'w gweld uwchben trefi fel Dolgellau, Llandrindod a Llandeilo yn rasio trwy'r awyr i ddenu cymar, cyn mynd ati'n ddi-lol i adeiladu nyth bach blêr o wair a phlu mewn tyllau o dan y bondo neu yn y to. Yno, bydd yr iâr yn dodwy dau ŵy gwyn ac erbyn canol Mehefin bydd y cywion cyntaf yn barod i adael y nyth.

Pan oeddwn i'n gweithio i'r RSPB, mi fyddwn i'n derbyn galwadau ffôn bob blwyddyn i ddweud bod rhywun wedi darganfod gwennol ddu (un fyw!) ar lawr yn rhywle. Y peth gorau i'w wneud yn yr achos hwnnw ydi taflu'r aderyn allan trwy ffenestr y llofft neu oddi ar do adeilad tal, achos unwaith y bydd yr adar hyn wedi glanio ar y ddaear, fedran nhw ddim codi wedyn heb gymorth.

Mae'r rhain ymysg yr ychydig adar sy'n fyw o chwain arbennig a elwir yn *flat flies* yn Saesneg. Pryfed parasitig ydi'r rheiny sy'n byw ar grwyn yr adar ymhlith y plu, ac er eu bod yn edrych yn afiach does dim perygl i ddyn eu dal. Wedi dweud hynny, dwi'n cofio mynd i siop gigydd yn Y Bala wedi imi daflu dau gyw gwennol ddu yn ôl i'r awyr, ac wrth imi dalu am y cig fe neidiodd un o'r pryfed yma oddi ar fy llaw ac ar y cownter. Bu bron i'r ddynes druan fy nhaflu allan i'r stryd!

★ ★ ★

Yn Awst, mae ochrau'r Afon Hafren ger fy nghartref yn binc gan flodau Jac y neidiwr (*Indian* neu *Himalayan balsam*), a bydd yr arogl cryf yn cario am bellter mawr ar nosweithiau llonydd. Cafodd ei gyflwyno o fynyddoedd yr Himalayas fel blodyn gardd yn 1839 ac ers hynny mae wedi lledaenu'n gyflym, yn enwedig ar hyd ein hafonydd.

Mae llawer un yn rhoi croeso i'r planhigyn gan ei fod yn un mor hardd, ond mae'n bla i unrhyw gadwriaethwr gan ei fod yn tyfu'n gyflym ac yn cysgodi'r tyfiant cynhenid. Yr unig flodau eraill sydd i'w gweld ar hyd yr Hafren acw ydi'r rhai cynnar fel blodau'r gwynt a llygad Ebrill sy'n blodeuo cyn i'r Jac y neidiwr ymddangos, ond o fis Mehefin ymlaen does gan unrhyw flodyn arall ddim gobaith. Mae'n ddefnyddiol, er hynny, i gacwn a gwenyn, ac fe welir y rheiny o'i gwmpas wedi'u gorchuddio gan y paill melynwyn ar ôl hedfan o flodyn i flodyn.

Mae'n blanhigyn blynyddol, tal gyda dail fel pen gwaywffon. Mae'n gallu lledaenu mor llwyddiannus oherwydd bod y goden o amgylch yr hadau'n ffrwydro wrth iddi sychu ar ddiwedd yr haf, gan daflu'r hadau am lathenni – yn aml i mewn i'r dŵr. Erbyn heddiw, mae llawer o fudiadau yn ceisio cael gwared ohono (yn cynnwys Asiantaeth yr Amgylchedd) ond dwi'n tybio bod yr holl ymdrechion hyn wedi dod yn rhy hwyr iddynt allu trechu'r hen Jac.

★ ★ ★

Efallai fod y coedwigoedd a'r bryniau wedi tawelu erbyn canol y mis hwn ond mae rhai adar yn parhau i nythu o hyd. Dwi wedi gweld cywion mewn nyth dryw bach hyd at ganol Awst, ac unwaith fe ddois i o hyd i nyth bod tinwen ar Y Migneint â chywion ynddo hyd at ddydd ola'r mis. Ond mae un aderyn ysglyfaethus sy'n unigryw am ei fod wastad yn bwydo'i gywion trwy'r mis hwn, a fyddan nhw ddim yn barod i adael eu rhieni tan ganol mis Medi. Bod y mêl *(honey buzzard)* ydi hwnnw. (Fel 'bòd y mêl', gyda llaw, yr yngenir ei enw'n arferol!)

Dyma aderyn a nythodd yng Nghymru am y tro cyntaf erioed yn 1991. Tra bod y bwncath, neu'r boda cyffredin, yn bwydo ar ysgerbydau, cwningod a llygod, bydd hwn yn bwydo'n bennaf ar larfa cacwn yn ogystal â llyffantod. Mae'n anodd iawn gwahaniaethu rhwng y ddwy rywogaeth yn yr awyr, ond mae gan fod y mêl ben bach fel pen ysguthan ar ysgwydd boda, ac wrth gylchu mae'n dal ei adenydd allan yn syth – nid ar i fyny fel ag y gwna'r boda.

Nid yw bod y mêl yn cyrraedd yma o Affrica tan ganol mis Mai. Erbyn dechrau Mehefin, bydd yr iâr yn gori dau o wyau browngoch; fis yn ddiweddarach, bydd y rhain yn deor ac wedyn y daw'r gwaith anodd o geisio darganfod digonedd o nythod cacwn. Yn ffodus, mae'r boda arbennig yma'n aderyn call, ac mae'r gwaith ymchwil diweddara'n awgrymu bod oedolion yn chwilio am nythod cacwn ar dywydd sych tra mae'r wyau'n dal yn y nyth, ac yn gallu cofio lle maen nhw pan ddaw'r adeg y bydd gwir angen y bwyd. Dwi hefyd wedi darganfod nythod cacwn wedi'u hanner dinistrio a'u gadael felly; dros yr wythnosau dilynol bydd y pryfed yn ail-adeiladu'r nyth, ac wedyn fe ddaw bod y mêl yn ei ôl i gwblhau'r dasg o 'ffermio' larfa'r cacwn.

Dywedodd arbenigwyr o Dde Lloegr na fuasai'r aderyn godidog yma byth yn gallu goroesi tywydd oer, gwlyb gwlad fel Cymru, ond dwi'n falch o gael dweud bod yr arbenigwyr yn anghywir, a heddiw mae o leiaf ddeg o barau yn cael eu darganfod bob blwyddyn. Felly, edrychwch yn fanwl ar y boda hwnnw sy'n cylchu uwch eich pen ar ddiwedd y gwanwyn, achos 'does wybod yn y byd pa bryd y dowch chi ar draws rhywbeth digon annisgwyl!

★ ★ ★

Bydd hafau sych fel haf 1976 yn dod ag atgofion melys yn ôl i lawer un ohonom, rwy'n siwr, ond un peth sy'n aros yn fy nghof i o un Awst sych yng nghanol y nawdegau ydi'r nifer o dyrchod a welais yn crwydro ar wyneb y tir, yn hytrach nag o'r golwg i ddyn. Mae'n elyn i lawer o arddwyr a ffermwyr, ac fel bachgen ifanc byddwn yn cael fy nhalu am bob twrch y gallwn ei ddal – a'r tâl fyddai pum ceiniog y twrch! Ers hynny, po fwyaf y byddaf yn ei ddarllen amdano, dwi wedi dod i edmygu'r anifail yma sy'n treulio'r rhan fwyaf o'i oes 'dan ddaear'.

Pryfaid genwair ydi'i brif fwyd, ac er nad oes croeso iddo yn yr ardd mae'n gwneud cymwynas â ni wrth droi y pridd tra'n tyllu medrau o dwneli o dan yr wyneb. Yno y bydd yn byw ac yn rhoi genedigaeth i'w rai bach, a'r unig arwydd eu bod yno o gwbwl ydi'r pentwr o bridd sy'n cael ei daflu allan wrth dyllu. Anaml iawn y daw i'r wyneb ond mae'n rhaid iddo weithiau chwilio am dir uchel adeg llifogydd, a bydd i'w weld yn crwydro ar hyd y borfa pan fydd y ddaear yn sych iawn ac o'r herwydd yn galed fel haearn.

Ar adegau sych o'r fath, mae'n amhosibl iddo dyllu ac felly mae'n anodd dod o hyd i fwyd – dyna pam y gwelais lawer un ar yr wyneb yng ngolau dydd, 'nôl yn Awst 1995. Mae'n debyg mai rhai ifanc, di-brofiad oeddynt, ac er bod llawer un yn debygol o fod wedi cael eu llarpio gan fwncathod neu wencïod, o leiaf rhoddodd gyfle i mi gael golwg fanwl ar greadur digon swil.

Yn ogystal â'r gôt felfed biws, y pethau mwyaf trawiadol ydi'r traed blaen anferth a'r llygadau bach. Gan ei fod yn byw yn y tywyllwch o dan y ddaear, dydi o fawr o angen llygadau craff ac mae o bron yn ddall. I wneud i fyny am ei olwg byr mae ganddo ffroen dda, a chyda hon y daw o hyd i bryfed genwair cyn eu llarpio gyda'i ddannedd miniog. Mae'r traed blaen fel dwy raw binc a'r rhain fydd yn tyllu a gwthio'r pridd o'r neilltu wrth iddo adeiladu'r twneli. Os gwelwch chi un ar yr wyneb, ger pridd sy'n feddal, gall ddiflannu o flaen eich llygaid mewn eiliadau.

* * *

Erbyn Awst, bydd y gwyachod mawr copog wedi colli'u plu bridio hardd (yn cynnwys y 'clustiau' browngoch) a bydd llawer ohonynt wedi dechrau ymgasglu ar Draeth Lafan rhwng Bangor a Llanfairfechan er mwyn bwrw'u plu. Fel rheol, bydd rhwng dau gant a hanner a phedwar cant a hanner o'r adar i'w gweld yma – yn eithriadol, gall y niferoedd gynyddu i dros bum cant. Byddant yn bwydo yn y môr ger Llanfairfechan ac yn nofio i'r gorllewin tuag at Aber Ogwen i glwydo.

Maen nhw'n dechrau ymgasglu yno ar ddechrau Gorffennaf ac yn ychwanegu at eu niferoedd yn gynyddol hyd at ddiwedd Awst, ond erbyn mis Hydref bydd y rhan fwyaf o'r adar wedi 'madael â'r ardal. Ers talwm, roedd adarwyr yn credu eu bod yn gaeafu ger yr Afon Mersi ond bellach mae gennym dystiolaeth gref mai tua gorllewin Bae Ceredigion yr ânt. Mae'r môr bas yma'n gartref pwysig i lawer o wahanol rywogaethau yn y gaeaf, ac ar adegau bydd dros ddau gant a hanner o wyachod mawr copog i'w gweld oddi ar yr arfordir.

* * *

Yn ogystal â'r adar, mae Bae Ceredigion yn gartref hollbwysig i ddolffiniaid a llamhidyddion (*porpoises*). Mamaliaid ydi'r rhain sy'n byw yn y môr fel pysgod ond sydd, fel pob mamal, yn gorfod dod i wyneb y dŵr o dro i dro i anadlu. Mae'r dolffiniad yn anifeiliaid mawr, dros ddau pwynt pump o fedrau o'r trwyn i'r gynffon, ac fel rheol yn cadw ymhellach allan i'r môr na'r llamhidyddion. Pysgod ydi'r prif fwyd a byddant yn defnyddio sŵn fel radar i'w darganfod yn y dŵr.

Mae'r llamhidydd yn llawer llai o faint – dim ond rhyw un

pwynt pum medr ar y mwyaf – ac yn dywyll ar ei gefn a golau ar ei fol. Pysgod yw prif fwyd hwn hefyd, a gellir eu gweld o'r lan yn neidio allan o'r dŵr wrth hela pysgod. Mae'r ddau'n ddigon bodlon i ddilyn cychod ac i ddefnyddio'r tonnau sy'n cael eu creu gan y cwch i'w helpu i neidio o'r dŵr. Fel rheol, byddant yn nofio mewn haid o rhwng pump a phymtheg o unigolion; ar adegau, gellwch weld llawer mwy na hynny hyd yn oed. Yn ddiweddar, mae gwyddonwyr wedi cychwyn ar y gwaith pwysig o gyfri'r anifeiliaid tanfor yma, ac er nad oes niferoedd pendant eto, mae'n debyg bod Bae Ceredigion yn un o'r llefydd pwysicaf iddynt yng Ngorllewin Ewrop.

Os ydych am fynd i'w gweld, gellwch fynd ar gychod bach allan o borthladdoedd Ceredigion, megis Aberystwyth, Aberaeron neu Gei Newydd; mae'n bosibl mynd yn eithaf agos atynt ar adegau. Gellwch hefyd weld yr anifeiliaid o'r tir mawr, yn enwedig o bentiroedd fel Pen Strwmbwl yn Sir Benfro, Pen Cei Newydd yng Ngheredigion a Mynydd Cilan ym Mhen Llŷn.

★ ★ ★

Os am weld tipyn o sioe y mis yma, anelwch am y mynyddoedd a'r rhostiroedd, achos dyma'r mis y mae blodau porffor y grug ar eu gorau. Efallai bod yr adar wedi cilio o'r ucheldir erbyn rŵan, ond mae'n werth gwneud yr ymdrech i fynd yno er mwyn gweld yr olygfa hardd yma. Gellir gweld tri math gwahanol o rug yn tyfu'n wyllt yng Nghymru – grug y mêl (*bell heather* neu *Erica cinerea*), sydd fel rheol yn tyfu ar rosdiroedd sych; grug deilgroes (*cross-leaved heath* neu *Erica tetralix*), sy'n ffynnu ar rosdiroedd gwlyb; a'r grug cyffredin (*Calluna vulgaris*), neu grug y mynydd fel y gelwir o mewn rhai mannau.

Ganrifoedd lawer yn ôl, roedd grug i'w weld yn bennaf yn tyfu rhwng y coed naturiol a orchuddiai Gymru gyfan bron. Dim ond ar y mynyddoedd uchaf ac ar yr arfordir gwyllt lle'r oedd y coed yn methu tyfu y buasai'r grug yn ffynnu, ond wrth i'r coed gael eu torri a'r tir ei bori fe ddaeth y grug i'w elfen.

Mae hwn yn un o'r planhigion hynny y mae pawb yn ei

adnabod. Mae'n siwr bod bron bob teulu, rywbryd neu'i gilydd, wedi bod am dro ymysg grug yn ei flodau.

Dwi'n 'nabod llawer un sy'n cadw gwenyn mewn cychod ar ochrau mynyddoedd gan fod blodau'r grug yn gwneud mêl mor dda, ond gwneid defnydd ehangach o lawer na hynny ohono ers talwm. Yn yr ardaloedd diwydiannol, câi ei stwffio i mewn i focsys er mwyn pacio nwyddau trymion i'w cludo i ffwrdd. Defnyddid grug i wneud ysgubellau yn aml, ac roedd · hefyd, wrth gwrs, yn danwydd gwych. Gallwn ddychmygu pa mor ddiolchgar fyddai rhywun i gael grug sych gerllaw i helpu i gynnau'r tân ar noson oer mewn bwthyn ar ochr mynydd.

★ ★ ★

Mae grug hefyd yn gysylltiedig â'r grugiar *(red grouse)*, aderyn sy'n hollol ddibynnol ar y planhigyn yma am ei gynefin a'i fwyd. Ym mis Awst, wrth gwrs, y daw'r *'glorious 12th'*, sef dechreuad y tymor saethu grugieir, ac er nad yw mor bwysig yng Nghymru heddiw ag y bu ers talwm, mae llawer un yn dal i edrych ymlaen at saethu a bwyta grugiar gynta'r flwyddyn.

Fel y grug, roedd y grugieir yn bresennol mewn niferoedd bychan yma ac acw yn y fforest anferthol yn yr hen amser, ac yn arbennig o ffyniannus ar adegau fyddai'n dilyn tân naturiol (a'r coed, felly, wedi diflannu am gyfnod). Cynyddodd y boblogaeth ychydig dros y canrifoedd wrth i lawer o'r coed gael eu cwympo, ond gyda datblygiadau i'r stadau mawrion ar yr ucheldir yn y ddeunawfed ganrif fe newidiodd pethau'n llwyr. Bryd hynny y dechreuwyd rheoli'r ucheldir er mwyn cynhyrchu grugieir – a hyn i gyd, wrth gwrs, er mwyn eu saethu.

Ar ddechrau'r ugeinfed ganrif, roedd rhai o rosdiroedd grugog Cymru yn cynhyrchu mwy o rugieir na rhai'r Alban, a hyd at yr Ail Ryfel Byd roeddynt yn niferus iawn. Y mynydd gorau am rugieir yng Nghymru oedd Rhiwabon ger Wrecsam; rhwng 1900 a 1913, saethwyd 4658 ohonynt ar gyfartaledd bob blwyddyn, gyda record o 7142 yn cael eu saethu mewn un tymor yn 1912!

Mae'r rugiar angen ehangder o rug o wahanol oed. Bydd yn nythu ymysg yr hen rug tal ac yn bwyta blagur y grug ifanc. Yn ogystal â llosgi'r mynydd i hybu'r grug ifanc a'r llus, arferai'r hen giperiaid saethu a thrapio unrhyw beth a fwytâi'r grugiar, yn cynnwys adar ysglyfaethus yn ogystal â llwynogod a brain. Dyma pam roedd yr aderyn yma'n ffynnu bryd hynny, ond gyda'r dirywiad mewn cipera ar ôl y pedwardegau, gostyngodd niferoedd ein grugieir hefyd.

Erbyn heddiw, amcangyfrir bod rhyw bum mil ohonynt ar ucheldir Cymru, yn ymestyn o gymoedd y De hyd at Foel y Ci ger Bethesda, ond mae angen cerdded cryn dipyn ar adegau cyn eu gweld. Mae'n haws dod o hyd i'r arwyddion o'u presenoldeb – naill ai pentwr o faw lle bu'r adar yn clwydo, neu ambell i bluen a gollwyd yn y gwynt. Beth bynnag ydi'ch barn chi ynglŷn â saethu adar gwyllt, buaswn i wrth fy modd yn gweld rhai o fynyddoedd Cymru yn atseinio i sŵn y rugiar unwaith eto.

★ ★ ★

Dwi wedi troedio cryn dipyn o'r ucheldir erioed, ac ar ddiwrnod braf o haf byddaf wastad yn rhyfeddu cymaint o fadfallod cyffredin (*common lizards*) sydd i'w gweld yno. Fel rheol, dim ond rhyw siâp tywyll yn rhuthro dan fy nhraed fydda i'n ei weld, ond weithiau mae'n bosibl dal un a chael golwg fwy manwl arno. Anifeiliaid brown a melyn ydyn nhw, gyda phatrymau amrywiol ar hyd eu cefnau.

Maen nhw'n greaduriaid gwaed oer ac felly'n gaeaf-gysgu er mwyn osgoi tymheredd isel yr hydref a'r gaeaf. Ar ddiwrnodau heulog yn yr haf, gyda'u cyrff yn ddigon cynnes, gallant symud fel milgwn drwy'r tyfiant a hela yno bryfed o bob math – mwydod, gwlithod a chymysgedd o greaduriad eraill di-asgwrn-cefn.

Gan eu bod yn rhoi genedigaeth i rai bach byw, mae'n bosibl iddynt oroesi ar ucheldiroedd oer a gwlyb yn ystod y gwanwyn a'r haf, cyn iddynt hwythau yn eu tro ddod yn fwyd i greaduriaid eraill. Pan oeddwn yn astudio adar yr ucheldir, gwelais y bod tinwen (*hen harrier*), bwncath, cudyll coch (*kestrel*), llwynog a ffwlbart (*polecat*) yn dal y creaduriaid yma, ac er mai llygod ac adar bach ydi prif brae yr anifeiliaid hynny ar yr ucheldir, gall y madfallod fod yn bwysig dros ben iddynt pan fydd bwyd yn brin.

★ ★ ★

I aros ar yr ucheldir, mae wythnos gyntaf Awst yn amser da i fynd i hel llus. Bu hwn yn arferiad ymysg teuluoedd a chymunedau ers cyn cof. Yn ardal Llanwddyn, roedden ni fel teulu yn mynd i'r mynydd yn aml i hel a bwyta llus, ond doedd fawr o amynedd gan y rhan fwyaf ohonon ni i gasglu digon i wneud tarten! Yr un peth oedd yn fy nhrawo bob tro oedd y niferoedd o greaduriaid eraill oedd yn rhannu'r cynhaeaf yma gyda ni.

Bydd ysguthanod yn eu cannoedd yn ymgasglu ar hyd llethrau'r ucheldir i fwydo ar y ffrwythau porffor, yn ogystal â bronfreithiaid ac adar duon. Trwy'r mis hwn, bydd baw llwynogod ar y mynydd yn biws gan eu bod yn bwyta cymaint o lus, ac ar Y Blorenge ger Y Fenni dwi'n cofio gwylio dwsinau o ysguthanod yn bwydo ochr yn ochr â llwynog – y ddau wedi anghofio'u gwahaniaethau er mwyn cymryd mantais o'r holl fwyd.

★ ★ ★

Ffrwyth arall sy'n ymddangos y mis yma ydi ffrwyth y fiaren, sef mwyar duon. Eto, mae'r rhain yn gyfarwydd i bawb ohonom. Does dim un pwdin gwell na tharten mwyar duon gyda hufen!

Yr hyn sydd wedi fy synnu i ydi bod dros dri chant o wahanol fathau o fieri – ac felly o fwyar duon – yn y wlad hon, gydag ambell un yn gyfyngedig i un cwm neu un mynydd yn unig.

Fel y llus, bydd pob mathau o greaduriaid yn gwledda ar y mwyar, o bryfed i anifeiliaid rheibus, ac mewn blwyddyn lle nad oes llawer o ffrwythau ar y llwyni mae gofyn bod yn gyflym iawn i'w cyrraedd cyn i'r creaduriaid gwyllt eu clirio. Bydd moch daear, llwynogod a llygod yn bwyta cannoedd ohonynt, ac am fis (o ganol Awst hyd ganol Medi) dyma un o'u prif fwydydd. Wrth i'r ffrwyth aeddfedu, yn enwedig pan fo'n feddal iawn, mae hefyd yn denu glöynnod byw fel y fantell goch (red admiral) a'r peunog (peacock), y ddau yn defnyddio'r 'tafod' hir sydd i'w weld o dan y pen i sugno'r maeth o'r ffrwyth.

★ ★ ★

Fel rheol, mae'r fronfraith yn bwydo i raddau helaeth ar fwydod, ac fe'i gwelwch yn aml yn y boreuau yn tyllu ar y lawnt yng nghwmni aderyn du neu ddau. Ond os yw'r haf yn un poeth a hithau'n sych iawn, bydd y mwydod wedi tyllu'n ddwfn i gyrraedd y pridd meddal – ac felly does dim ar ôl yn agos i'r wyneb i'r fronfraith druan. Ar adegau felly, bydd hi'n troi at 'einion' fydd wrth law yn hwylus.

Cadwch eich llygad allan am bentyrrau o ddarnau o gregyn malwod ac fe welwch beth yn union fydd y fronfraith yn ei wneud pan nad oes mwydod ar gael. Mae hi'n chwilio am falwod ac yn eu cario at hoff garreg – 'einion' y fronfraith ddyfeisgar – ac yn taro'r gragen dro ar ôl tro nes ei bod yn gallu cyrraedd y corff meddal tu mewn. Fel hyn, gall oroesi haf sych a hir. Fydd hi ddim angen llawer o ddŵr ychwaith, gan fod digonedd yn dod o gyrff y malwod.

Yn ddiweddar, mae llawer o sôn wedi bod yn y cyfryngau am ddiflaniad y fronfraith, yn enwedig o'r De-ddwyrain ac o'n gerddi; mae'n hollol bosibl bod defnyddio pelenni gwlithod yn ein gerddi wedi chwarae rhan bwysig yn hyn o beth. Beth bynnag ydi'r rheswm (neu'r rhesymau), mae bronfreithiaid y Drenewydd yn dal i ffynnu ac yn gwneud y gorau o'r tywydd gwlyb rydan ni wedi'i gael ers blynyddoedd bellach.

★ ★ ★

Dim ond dwywaith yr ydw i wedi cael y pleser o aros dros nos ar Ynys Sgogwm ar arfordir Sir Benfro, ac er nad oes yr un nifer a'r un amrywiaeth o adar yno ag sydd i'w gweld ar Ynys Sgomer gerllaw, mae Sgogwm hefyd yn lle pwysig iawn ym myd yr adar. Un peth sy'n unigryw am yr ynys ydi'r gwaith ymchwil sydd wedi cael ei wneud yno gan wyddonwyr enwog. Yno y gwnaeth Peter Conder lawer o'r gwaith a

112

Llafn y bladur.

Sboncyn y gwair.

Turtur dorchog.

Bod y n

Pryf llwyd.

Madfall ar deiar

arweiniodd at lyfr cyfan ar dinwen y garn (*wheatear*), ac yma hefyd yr ysgrifennodd Ronald Lockley lawer o'i lyfrau enwog ar adar y môr.

Mae'r tŷ-bach ar Sgogwm yn un difyr dros ben, gan fod llawer o adar prin iawn wedi cael eu gweld o'r adeilad yma a phob un wedi'i gofrestru ar y wal! Yn ogystal â disgrifiad o'r aderyn a'r dyddiad y gwelwyd o, mae'r adarwyr wedi gwneud darlun, neu fraslun, o'r hyn a welsant. Dwi wedi treulio tipyn o amser yn eistedd ar y toiled hwn yn edmygu'r arlunwaith ar y wal!

Un o adar nythu pwysicaf yr ynys ydi'r pedryn drycin (*storm petrel*), aderyn bach du (tua'r un maint â'r robin goch) sy'n treulio'r rhan fwyaf o'i oes yn hedfan uwchben tonnau'r môr. Gan ei fod mor fach, mae'n osgoi dod i'r tir mawr yng ngolau dydd rhag iddo gael ei larpio gan y gwylanod neu'r tylluanod. Bydd yn cyrraedd yr ynys o fis Ebrill ymlaen ac yn nythu ymysg y creigiau neu yn y waliau cerrig, ac yma y bydd yr iâr yn dodwy ei hunig ŵy gwyn. Erbyn Awst, bydd cywion yn y nythod llwyddiannus a dyma'r adeg orau o'r flwyddyn i geisio gweld yr adar – ond dim ond ar ôl iddi nosi.

Pan oeddwn i ar yr ynys, cefais y fraint o fynd gyda'r warden i eistedd o dan y 'sgri' lle'r oedd mwy nag ugain o barau'n nythu, a chael gwylio'r adar yn mynd a dod efo bwyd i'r cywion. Yn yr awyr, maen nhw'n debyg iawn i ystlumod o ran maint, lliw a'r dull o hedfan – ac wrth eistedd yn dawel gyda golau isel, roedd hi'n bosibl denu'r adar i hedfan yn agos atom. Yr un lle arall i weld yr adar ydi allan ar y môr mawr lle byddant yn bwydo wrth gorddi'r dŵr gyda'u traed a llarpio unrhyw damaid a ddaw i'r wyneb. Mae'r arferiad yma wedi ysbrydoli un o'r enwau eraill a roir iddo, sef 'aderyn Iesu', gan ei fod fel pe bai'n cerdded ar wyneb y dŵr.

Credir bod yr oedolion yn treulio'r gaeaf rywle i'r gorllewin o Dde Affrica a'r cywion ychydig i'r gogledd o'r fan honno, ac mae'r gwaith modrwyo tymor-hir wedi dangos bod yr adar yn gallu symud o un ynys i'r llall i nythu o flwyddyn i flwyddyn. Yn anffodus, dim ond ar lond llaw o ynysoedd Cymreig y bydd yr adar yn nythu bellach, gyda'r niferoedd mwyaf o dros chwe mil o barau ar Ynys Sgogwm. Gan eu bod yn nythu mewn llecynnau mor lletchwith, ac yn dod allan yn y nos, mae'n anodd iawn cyfri'r niferoedd yn gywir, ond tybir eu bod – ar lawer o'n hynysoedd – yn lleihau.

★ ★ ★

Mae llawer ohonom wrth ein boddau'n gwylio glöynnod byw yn ein gerddi, ond ychydig sy'n cael y cyfle i fwynhau gwyfynod. Mae cymydog i mi yn arbenigwr ar rai o'r gwyfynod ac yn plannu blodau yn ei ardd i'w denu. Dau o'r blodau gorau i hynny, yn ôl fy nghymydog, ydi melyn yr hwyr (evening primrose) a'r gwyddfid (honeysuckle). Mae'r blodau hyn nid yn unig yn denu gwyfynod ond hefyd yn hudo glöynnod byw a phob mathau o bryfed eraill.

Er mai blodyn gardd oedd melyn yr hwyr yn wreiddiol, dros y blynyddoedd mae wedi dianc i'r gwyllt, a dwi'n cofio gweld cannoedd o'r blodau mawr melyn yma yn nhwyni Niwbwrch un haf. Cafodd ei gyflwyno o'r Unol Daleithiau yn y ddeunawfed ganrif a chafodd ei enw hyfryd oherwydd nad yw'r blodyn yn agor tan yr hwyr. Ar y llaw arall, planhigyn cynhenid ydi'r gwyddfid ac, yn wahanol i felyn yr hwyr, dringwr fel yr eiddew ydi hwn. Mae arogl bendigedig ar y blodyn ond mae'n llawer cryfach gyda'r hwyr, er mwyn denu'r gwyfynod sy'n cario'r paill o'r naill blanhigyn i'r llall.

Cawsom un wythnos gynnes iawn ar ddechrau Awst 1999, a dwi'n cofio eistedd yng ngardd fy nghymydog yn gwylio gwyfyn difyr iawn, sef gwalchwyfyn hofran (hummingbird hawkmoth), yn hedfan o flodyn i flodyn. Gwyfyn mudol ydi o, yn cyrraedd o'r Cyfandir gyda gwyntoedd cynnes yr haf ac yn marw unwaith y daw'r tywydd oer yn yr hydref. Mae'n atgoffa rhywun o aderyn y si (hummingbird) wrth hofran uwch y blodyn, cyn rhoi ei dafod hir i mewn er mwyn yfed y neithdar. I ddrysu pethau ymhellach, mae'r gwyfyn hwn hyd yn oed yn gwneud sŵn fel cacynen wrth hedfan.

★ ★ ★

Yn fachgen, byddwn wrth fy modd ym mis Awst gan fod y mis cyfan yn wyliau o'r ysgol. Arferai plant y pentref nofio yn yr Afon Efyrnwy mewn pwll dwfn ger y cae pêl-droed, ond roedd yn fan rhedynog iawn ac felly'n llawn pryfed! Ar ôl glaw roedd hi'n amhosibl osgoi'r gwybed bach, ond doedd cael eich brathu'n ddibaid gan y rheiny ddim hanner mor ddifrifol â chael un brathiad gan y pryf llwyd *(horse-fly)* – ac roedd cannoedd o bryfed llwyd yn cael lloches yn y rhedyn. Doedden nhw ddim yn gwneud unrhyw sŵn wrth hedfan ac felly doedd dim rhybudd eu bod yno – nes ichi deimlo'r brathiad brwnt, rywle lle na fedrai eich dwylo ei gyrraedd. Yn wahanol i'r gwybed, roedd y pryf llwyd fel pe tasai'n cymryd cyllell a fforc i dorri twll mawr i wledda ar eich gwaed, ac am ddyddiau wedyn byddai talpau mawr i'w gweld ar hyd ein cefnau.

Erbyn heddiw, dwi'n llawer mwy goddefgar o'r pryfed yma ac yn deall tipyn mwy am eu bywydau, yn enwedig y ffaith eu bod yn fwyd pwysig iawn i bob math o adar. Dim ond y pryf benywaidd sy'n brathu, er mwyn cael maeth i gynhyrchu wyau, a bydd y larfa mawr yn byw yn y pridd. Fel yr awgrymir gan yr enw Saesneg, ceffylau ac anifeiliaid eraill ydi'r prif brae – ond mae croen gwyn plant bach diniwed yr un mor flasus, dwi'n siwr.

Medi

Gall tywydd Medi fod cystal, os nad yn well, nag unrhyw fis arall, ac mae hyn yn rhoi'r cyfle olaf inni fwynhau bywyd gwyllt yr haf. Yn aml, bydd glöynnod byw fel melyn y rhafnwydd *(brimstone)* yn cymryd mantais o haf bach Mihangel ac yn bwydo ar y blodau hwyr. Hefyd, os daw'r gwynt o'r de am gyfnod, daw'r iâr fach felen *(clouded yellow)* i mewn o'r Cyfandir.

Glöynnod byw y gwanwyn ydi melyn y rhafnwydd yn bennaf, ond mae'r oedolion yn paratoi i oroesi'r gaeaf ym mis Medi ac yn chwilio am rywle diogel a sych i orffwys. Mae'r ceiliog yn felyn ei liw ond mae'r iâr yn llai lliwgar ac mae'n hawdd ei chamgymryd am un o'r glöynnod byw gwynion eraill. Pan yn gorffwys, byddant yn hongian oddi ar frigyn gan edrych yn union fel y dail o'u cwmpas oherwydd siâp unigryw eu hadenydd. Fel hyn, maen nhw'n gobeithio osgoi cael eu llarpio gan adar.

Bydd yr iâr fach felen – yr ymwelydd o'r Cyfandir – i'w gweld ar ddiwrnodau braf yn hedfan yn gyflym o le i le. Mae adenydd yr iâr yn felyn ond mae rhai'r ceiliog yn fwy oren, gyda du ar hyd yr ochrau. Bydd y niferoedd sy'n cyrraedd Cymru yn amrywio o flwyddyn i flwyddyn. Dwi'n cofio gweld cymylau ohonynt ar warchodfa natur ger Penybont ar Ogwr un mis Medi yng nghanol y nawdegau, ac roedd fel gwylio ystlumod bach oren a melyn yn gwibio o gae i gae.

Ymwelydd arall o'r Cyfandir ydi'r iâr fach dramor *(painted lady)*. Fel gyda'r iâr fach felen, bydd ychwaneg o'r rhain hefyd yn cyrraedd Cymru ar ôl cyfnod hir o wyntoedd cynnes o'r de. Mae'r un dramor yn edrych yn debyg i'r iâr fach amryliw *(small tortoiseshell)* ond mae ganddi fwy o liw oren-binc a llai o frown ar ei hadenydd. O dro i dro, bydd hon yn ceisio bridio ond dydi hi byth yn llwyddo i oroesi'r gaeaf.

Tuag at ddiwedd y mis, bydd y glöynnod byw yma'n edrych yn fratiog ac yn ddi-liw a phan ddaw'r rhew cyntaf byddant yn marw.

★ ★ ★

Er bod y gaeaf llwm ar ei ffordd, mae Medi yn fis prysur iawn i rai anifeiliaid ac un o'r rhain ydi'r morlo llwyd (*grey seal*). Bydd yr anifeiliaid yma'n ymgasglu ar draethau anghysbell, ymhell o afael dyn, er mwyn rhoi genedigaeth i'w rhai bach.

Y morlo llwyd ydi anifail rheibus mwyaf Prydain (hyd at dri medr o hyd), ac yma yng Nghymru y mae'n llawer mwy niferus na'r morlo cyffredin. Mae'n anifail llwyd ei liw ond gall y lliw, yn ogystal â'r patrymau ar y croen, amrywio cryn dipyn. Fel rheol, fe'i gwelwch yn edrych i mewn o'r môr gan syllu i fyw eich llygaid, efo'i ben a'i drwyn Rhufeinig fel bwi llwyd. Pan welwch y ddau allan o'r dŵr, mae'n hawdd gwahaniaethu rhwng y tarw anferth a'r fuwch.

Bydd yr anifeiliaid benywaidd yn rhoi genedigaeth ar draethau, yn enwedig ar rai o ynysoedd y gorllewin fel Ynys Dewi yn Sir Benfro. Mae llawer un yn mynd i mewn i ogofâu i roi genedigaeth cyn belled â bod traeth diogel yn y pen draw, achos yr amser yma o'r flwyddyn gall fod yn ofnadwy o stormus. Pan gaiff ei eni, mae'r llo bach gwyn yn anifail del ofnadwy ac yn hollol ddibynnol ar laeth cyfoethog ei fam am fis cyntaf ei fywyd. Mae tua hanner cant y cant o'r llaeth yn frasder ac felly bydd yn tyfu'n gyflym; ar ddiwedd y mis, bydd y mamau'n eu gadael ar y traethau.

Yn syth wedi gadael y llo, mae'r fuwch yn cyplu gyda'r tarw ond bydd datblygiad y ffetws yn cael ei ohirio fel bod yr enedigaeth yn cael 'ei amseru i ddigwydd ym mis Medi'r flwyddyn ganlynol. Bydd y llo bach tew yn colli ychydig o bwysau ac yn colli'r gôt wen cyn mentro i mewn i'r dŵr, rai wythnosau'n ddiweddarach, i hela drosto'i hun. Y gelyn mwyaf ydi dyn, yn enwedig pan fydd yn aflonyddu ar yr anifeiliaid ac yn gwahanu'r fam a'r llo, ond bydd rhai yn cael eu lladd hefyd ar dywydd stormus a garw.

Mae poblogaeth iach iawn o'r anifeiliaid hyn i'w gweld o Sir Benfro yn y De i Ynys Môn yn y Gogledd. Mae hefyd boblogaeth fechan yn 'torheulo' – trwy gydol y flwyddyn – ar dywod aber y Ddyfrdwy ger Ynys Hilbre, ond fydd dim buchod yn bridio yno. Amcangyfrifir bod dros saith deg y cant o boblogaeth y byd ym Mhrydain, gyda'r rhan fwyaf o'r rhain yn yr Alban. Gan fod y niferoedd yn parhau i gynyddu, mae rhai pysgotwyr yn daer dros i'r anifeiliaid gael eu difa, am eu bod (medden nhw) yn bwyta cymaint o eogiaid. Ond go brin bod y morloi llwyd yn cael effaith mor sylweddol ar boblogaeth y pysgod ag a wna gor-bysgota a llygredd.

★ ★ ★

Dyma ddechrau tymor y cnau, ac os na frysiwch chi, bydd gwiwerod wedi dwyn pob un heblaw'r rhai gwag adawon nhw ar y pren! Ers talwm, byddai'n rhaid inni gystadlu yn erbyn gwiwerod coch, ond heddiw mae'r wiwer lwyd estron wedi cymryd drosodd a phrin iawn ydi'r un goch yng Nghymru bellach. Mae rhai'n credu bod y wiwer lwyd yn lladd yr un goch ac yn cymryd ei lle, ond mae'r gwirionedd yn llawer mwy cymhleth na hyn.

Cyflwynwyd y wiwer lwyd i Loegr o Ogledd America yn 1876 ac fe'i cyflwynwyd i Gymru mewn o leiaf ddau safle gwahanol, sef Wrecsam yn 1903 ac Aberdâr yn 1922. Roedd y cymysgedd o goed pinwydd a choed collddail yn berffaith iddi ac o fewn llai na chanrif roedd wedi lledaenu i bob cornel o'r wlad. Ar yr un pryd, fe ddisodlodd hi'r wiwer goch gynhenid. Mae'r un lwyd yn fwy na'r goch ac felly'n well am gystadlu am fwyd, yn enwedig hadau mawrion fel cnau. Gall yr un lwyd hefyd dreulio mes y dderwen ac mae hyn o fantais mawr iawn iddi. Ond un o'r ffactorau pwysicaf ydi'r ffaith bod y wiwer lwyd yn cario firws sy'n lladd yr un goch, ond ni chaiff y firws unrhyw effaith ar yr anifail estron ei hun.

Oherwydd yr holl resymau hyn, mae'r wiwer lwyd wedi bod yn llwyddiannus dros ben, ac mae hi i'w gweld bellach yng nghanol dinasoedd fel Caerdydd a hyd yn oed ar ben mynyddoedd. Dwi'n cofio'r cŵn yn cornelu un ar gopa Moel Sych ar fynyddoedd y Berwyn, filltiroedd o'r goeden agosaf, a choeliwch neu beidio, dwi wedi gweld un yn rhedeg ar hyd yr hen Bont Fenai er mwyn cyrraedd Ynys Môn!

Yn anffodus, o ganlyniad i hyn oll, mae'r wiwer goch hoffus wedi diflannu. Yn 1987 y gwelais i'r un olaf yn ardal Llanwddyn. Mor ddiweddar â deng mlynedd cyn hynny, roedden nhw'n gyffredin yno. Erbyn heddiw, does dim ond rhyw hanner dwsin o lefydd lle mae poblogaethau o'r wiwer goch wedi goroesi yng Nghymru ac mae wedi bod bron yn amhosibl gweld un yn ystod y blynyddoedd diwethaf. Mae poblogaeth fechan yng nghoedwig Brechfa ger Caerfyrddin, ond dim ond mewn dau safle y mae yna boblogaethau y gellir dweud eu bod yn dal eu tir, sef coedwig Clocaenog ger Rhuthun a choedwig Pentraeth ar Ynys Môn.

Yng Nghlocaenog, mae Menter Coedwigaeth wedi cadw'r fforestydd sbriws yn glir o goed collddail, gan fod hyn yn rhoi mantais i'r wiwer goch sy'n gallu byw ar hadau'r coed sbriws. Ym Mhentraeth, mae tîm o wyddonwyr wedi bod yn difa gwiwerod llwyd er mwyn rhoi hwb i boblogaeth fechan y wiwer goch, ac o fewn pedair mlynedd mae'r niferoedd wedi cynyddu o ddeg ar hugain i dros gant o unigolion. Dros yr un cyfnod, mae cannoedd o wiwerod llwyd wedi cael eu lladd.

Un mis Medi, cefais y fraint o fynd o amgylch y goedwig yng nghwmni Dr Craig Shuttleworth, sy'n gwneud y gwaith ar ran Menter Môn. Bydd Craig yn gosod 'trapiau byw' (live traps) bob dydd er mwyn lladd y rhai llwyd, ac yn rhoi marc arbennig ar glustiau'r rhai coch er mwyn gallu eu hadnabod fel unigolion. Roedd Medi yn amser da i fynd efo fo gan fod llawer o wiwerod ifanc o gwmpas, ac mi welais i dros hanner dwsin o wiwerod coch i gyd, y rhai cyntaf imi eu gweld yng Nghymru ers 1989.

Bydd raid i'r gwaith yma yng nghoedwig Pentraeth fod yn waith parhaol os ydym am weld y wiwer goch yn goroesi ar yr ynys, ond mae llawer un yn anhapus bod cymaint o wiwerod llwyd yn cael eu lladd. Yn bersonol, mi fuaswn i'n fodlon gweld *pob* gwiwer lwyd estron yn cael ei difa pe tasai hynny'n golygu bod y wiwer goch gynhenid yn cael dychwelyd i'w hen gynefinoedd ar hyd a lled y wlad.

★ ★ ★

Ym mis Medi, bydd llawer o adar mudol yr haf yn heidio o'r

wlad ac yn anelu am wledydd cynnes Affrica a Môr y Canoldir. Bwytawyr pryfed ydi'r rhan fwyaf ohonyn nhw ac mae'n rhaid iddynt ymadael dros y gaeaf gan nad oes digon o'r cyfryw fwyd ar gael iddynt yma bryd hynny. Felly, tra bydd rhai creaduriaid yn gaeafgysgu er mwyn osgoi'r amseroedd llwm, mae'r adar yn cael eu gorfodi i ffoi oddi yma – a lle gwell nag Affrica, lle mae'r hinsawdd cynnes yn sicrhau bod digonedd o fwyd iddynt i gyd.

Trwy'r mis, bydd gwenoliaid yn ymgasglu ar wifrau o amgylch ein pentrefi. Tra bod y wennol gynta'n arwydd o'r haf i ddod, mae'r wennol ola'n rhybudd bod y dyddiau cynnes wedi dirwyn i ben. Gall y wennol fagu cywion hyd at ddechrau Hydref ond fel rheol maent yn barod i adael y wlad erbyn diwedd Medi, a gallwn eu gweld yn eu dwsinau yn gwibio yn yr awyr uwchben, yn dal pryfed er mwyn ymgryfhau ac yn paratoi at y daith hir o'u blaenau. Gyda'r hwyr, gall miloedd hel at ei gilydd i glwydo mewn corsydd neu ar gaeau india-corn, ond erbyn diwedd y mis mae'r niferoedd mawr wedi diflannu a dim ond un neu ddau grwydryn sydd ar ôl. Mae'r oedolion yn ymadael cyn y cywion, ac mae'n debyg mai adar ifanc sy'n ffurfio'r 'clwydi' mawrion a welir at ddiwedd yr haf pan fydd miloedd o adar yn heidio at ei gilydd i dreulio'r nos mewn llecyn clyd a diogel.

Gan fod llawer o wenoliaid wedi'u modrwyo dros yr wyth deg mlynedd diwethaf, mae syniad go dda gennym erbyn heddiw ble mae'r adar yn gaeafu a pha lwybrau y byddant yn eu dilyn. Ar ôl gadael Cymru, byddant yn bwydo mewn llawer o safleoedd addas yn Ne Lloegr ac yna'n hedfan dros y môr i Ogledd Sbaen. Yno, bydd yr adar yn croesi gydag ochr mynyddoedd y Pyrenees ac yn hedfan ymhellach eto i'r de (neu'r de-ddwyrain) – dros y Sahara, a hyd at Dde Affrica a Namibia.

Tra bod y wennol yn hedfan miloedd o filltiroedd ar y tro, bydd rhai o'r teloriaid yn gwneud y daith hir mewn camau byr er mwyn bwydo ar y ffordd. Mae gwaith modrwyo yn Ne Cymru wedi dangos bod teloriaid y cyrs (reed warblers) yn hedfan o safle i safle ar hyd ochr orllewinol Ewrop ac Affrica, gan aros i fwydo mewn llefydd fel corsydd ar y ffordd. Ar y llaw arall, bydd teloriaid yr hesg (sedge warbler) yn gofalu ennill pwysau cyn gadael De Cymru ac yna'n hedfan y saith mil cilomedr ar un tro – tipyn o gamp i adar bach pum modfedd!

Bydd rhai adar yn defnyddio'r haul i ffeindio'u ffordd wrth fudo, ond bydd llawer o rai eraill yn mudo gyda'r nos ac felly'n defnyddio safleoedd y sêr yn yr awyr uwchben. Y broblem ydi bod yr haul a'r sêr wedi'u cuddio gan gymylau ar adegau, ac felly mae'n rhaid bod ganddynt ryw ddull arall o ddod o hyd i'r 'llwybrau' iawn ar eu taith hir. Yn sicr, mae mudo'n rhywbeth greddfol, ac mae'r gwaith ymchwil diweddaraf wedi darganfod cemeg o'r enw *magnetite* yn ymennydd yr adar – y gred ydi bod hwn yn gweithio fel cwmpawd er mwyn arwain yr adar i'r safleoedd cywir. Dyma rai o'r pethau y mae dyn wedi'u dysgu am y wyrth o fudo, ond mae'n sicr bod llawer mwy inni eu darganfod eto.

★ ★ ★

Ar ddiwedd pob haf, mae'n ymddangos i mi bod mwy o bryfed o gwmpas y tŷ acw nag ar unrhyw adeg arall o'r flwyddyn. Os yw'r ffenestr ar agor gyda'r hwyr, bydd cannoedd o wybed yn cael eu denu i mewn at y golau yn ogystal ag ambell i wyfyn. Dwi'n gredwr mawr mewn cadw gwe-pry-cop ymhob cornel o'r tŷ er mwyn cadw niferoedd y pryfed bach yma i lawr heb ddefnyddio cemegau – neu o leiaf dyna'r esgus y byddaf i'n ei roi i'r wraig am beidio bod yn daclusach!

Mae dau fath o bryf cop yn amlwg iawn ym mis Medi – pryf cop y tŷ (house spider) a'r pryf cop coes-hir (daddy-long-legs spider). Mae gan yr olaf sawl enw diddorol mewn gwahanol ardaloedd – pry'r gannwyll, pryf teiliwr a Jac y baglau yn eu plith.

Pryf copyn y tŷ ydi'r un mawr, brown, cyfarwydd hwnnw sy'n cael ei ddarganfod yn y bath yn y boreuau, ond sy'n treulio'r diwrnod yn cuddio o'r golwg o gyrraedd pawb mewn twll tywyll. Mae'n adeiladu gwe yng nghorneli ystafelloedd, ac os symudwch ddodrefn, rydach chi'n siwr o ddod ar ei draws. Er ei fod yn edrych yn frawychus, mae'n hollol ddiniwed, ac fe wna waith gwych wrth ladd pob math o drychfilod o gwmpas y tŷ. Gan fod yr un benywaidd yn gallu byw am bum mlynedd, dwi'n edrych ar y rhai sy'n y tŷ acw fel hen ffrindiau...

Dim ond yn y rhannau deheuol o Brydain y mae'r pryf cop coes-hir i'w weld, a chan nad yw'n gallu goroesi tymheredd isel, dim ond mewn tai â gwres canolog y mae'n byw yn hollol lwyddiannus. Er ei fod yn greadur mawr, mae'n llai bygythiol yr olwg na phryf cop y tŷ gan fod ei gorff a'i goesau'n denau ac yn binc eu lliw. Bydd hwn i'w weld yn hongian o'r nenfwd ar ei we blêr, a phan ddaw'r gwybed i mewn yn eu dwsinau bydd yn gwledda arnynt am wythnosau.

Creadur arall sy'n ymweld a'r tŷ ym mis Medi ydi criciedyn y dderwen (oak bush cricket), sy'n debyg i sboncen y gwair gwyrdd â choesau hir, tenau. Mae'n hoff o goedwigoedd a gerddi ac yn weithgar gyda'r nos, felly'r golau sy'n ei ddenu i mewn i'r tŷ. Mae hwn, eto, yn hollol ddiniwed – er fod wyddodydd mawr y fenyw yn edrych fel colyn – ac mi fydda i'n eu taflu allan o'r tŷ fesul hanner dwsin ar nosweithiau cynnes.

★ ★ ★

Mae hwn yn amser da o'r flwyddyn i lanhau blychau nythu, gan fod yr adar wedi hen orffen bridio. Mae'n bwysig peidio gadael y defnydd i mewn yn y blychau dros y gaeaf rhag iddo ddechrau pydru'r pren, ond byddwch yn ofalus gan fod ffwng yn tyfu ar yr hen nyth a gall hwn achosi afiechydon. Rheswm arall dros fod yn ofalus yw er mwyn osgoi nythod cacwn gan fod y rhain yn hoff o lenwi'r blychau gyda'u nythod eu hunain, ond fel rheol does fawr o arwydd o'r bwrlwm y tu mewn ar y tu allan i'r blwch.

Ychydig flynyddoedd yn ôl, roeddwn yn helpu ffrind i wagio blychau nythu mewn coedwig ffawydd ger Cwmbrân, a gwnes y camgymeriad o agor un blwch heb fod yn ddigon gofalus. Daeth dwsin o gacwn coch (hornets) tua'r un maint a 'mawd i allan ac ymosod arna i, felly rhedais fel milgi drwy'r coed nes fy mod yn ddigon pell i ffwrdd. Yn dri centimedr o hyd, hwn ydi'n cacynyn mwyaf ni ond mae'n eithaf prin yng Nghymru, a dwi rioed wedi'i weld yn y Canolbarth na'r Gogledd. Fel rheol, bydd yn adeiladu nyth mewn coed meirw – ond mae'n amlwg bod yr haid yma wedi cymryd at flwch nythu fy nghyfaill. Dwi byth wedi gwirfoddoli i fynd i lawr i'w helpu ers hynny!

★ ★ ★

Mae'r cacwn cyffredin, hefyd, yn brysur iawn y mis yma, ac yn dipyn o broblem i unrhyw un sy'n hoff o fwyta picnic yn yr awyr agored. Trwy'r gwanwyn a'r haf, bu'r gweithwyr yn bwydo ar lindys a phryfed eraill, ond erbyn diwedd yr haf, gyda'r nyth yn dechrau chwalu, maen nhw angen bwyd melys. Dyna pam y bydd y pryfed du a melyn yma'n erlid unrhyw un sy'n bwyta jam neu'n yfed diodydd melys. Yn ystod y cyfnod yma y mae'r cacwn ar eu mwyaf peryglus, gan eu bod yn dod i gysylltiad â dyn yn llawer amlach nag sy'n arferol iddynt ac felly maent yn tueddu i fod yn hynod o ymosodol.

Wrth i Fedi droi'n Hydref bydd y gweithwyr i gyd yn marw (a'r nyth 'papur', llwyd yn pydru), ond bydd y frenhines ifanc yn mynd ati i chwilio am loches i oroesi'r gaeaf. Fe fydda' i'n dod ar draws brenhines o dro i dro mewn croglofft neu hen adeilad – unrhyw le sych, lle mae'r tymheredd yn eithaf cyson dros y misoedd oer. Pan ddaw'r gwanwyn, bydd hi'n ymddangos ar ddiwrnod cynnes ac yn bwydo ar rai o'r blodau cynnar cyn bwrw ati i adeiladu nyth newydd a dodwy wyau er mwyn dechrau cenhedlaeth newydd o gacwn.

★ ★ ★

Y llynedd, roeddwn i'n gyrru dros y Bannau, rhwng Merthyr ac Aberhonddu, pan welais wylan fawr yn dod i 'nghyfarfod ar ochr arall y ffordd – ddim mwy na rhyw ddau fedr yn uwch na wyneb y lôn. Wrth iddi agosáu, gwelais nad gwylan ond gwalch y pysgod (*osprey*) oedd yr aderyn. Adar ysglyfaethus mudol tua'r un maint â'r barcud coch ydi'r rhain, a bydd ambell i aderyn o'r boblogaeth fechan yn yr Alban yn pasio trwy Gymru ar ei ffordd o Affrica ar ddechrau'r gwanwyn, ac ar y daith yn ôl ym mis Medi.

Wrth i boblogaeth yr Alban gynyddu, mae'r nifer sy'n cael eu gweld yma yng Nghymru yn cynyddu hefyd ac mae ambell i aber neu lyn yn cael mwy na un ymwelydd mewn blwyddyn. Mae aberoedd y Glaslyn ger Porthmadog, llynnoedd Cwm Elan ac aber yr Afon Llwchwr yn safleoedd da i weld yr adar urddasol yma wrth iddyn nhw bysgota am ddiwrnod neu ddau cyn symud ymlaen i rywle arall. Dros y blynyddoedd, mae rhai unigolion wedi treulio'r haf mewn cynefinoedd addas yng Nghymru a dwi'n cofio pâr yn dechrau adeiladu nyth yng Nghoed y Brenin. Yn anffodus, adar ifanc sydd ddim yn barod i fridio ydi'r rhain, a'r gwanwyn canlynol byddant yn dychwelyd i'r Alban i nythu.

Yn ddiweddar, mae un gwalch y pysgod wedi treulio tri haf yn olynol yn ardal y Drenewydd ar ochrau'r Afon Hafren, a chan fod ganddo fodrwy liw rydan ni'n gwybod mai aderyn o'r Almaen ydi o. Gan fod y rhain, yn ôl pob sôn, yn llawer mwy tebygol o nythu mewn ardaloedd newydd na'r adar o'r Alban, codwyd nythod artiffisial i geisio hybu'r aderyn i ddenu cymar a nythu. Mae codi nythod cyffelyb wedi bod yn llwyddiant mawr yn yr Alban, ac o fewn blwyddyn defnyddiwyd nyth artiffisial y Drenewydd hefyd. Yn anffodus, nid gwalch y pysgod a'i defnyddiodd ond pâr o wyddau Canada!

★ ★ ★

Sôn am wyddau, tua diwedd y mis yma bydd gwyddau talcen-gwyn *(white-fronted geese)* yn dychwelyd i aber yr Afon Ddyfi. Hon ydi'r unig haid o wyddau talcen-gwyn yr Ynys Las *(Greenland white-fronted geese)* i aeafu yng Nghymru a Lloegr. Erbyn canol y gaeaf bydd o gwmpas cant a hanner ohonynt wedi cyrraedd. Ers talwm, bu haid yn gaeafu ar Gors Caron ond lladdwyd dwsinau o'r adar gan aeaf garw 1962-1963 a symudodd yr adar i'r Ddyfi. Roedd haid fechan am flynyddoedd lawer yn ucheldir Trefaldwyn hefyd ond mae'n debyg bod y rhain wedi ymuno â'r adar ar y Ddyfi tuag at ddechrau'r nawdegau.

Gŵydd fach frown ydi hon, gyda phig melyn, traed oren a thalcen gwyn, a bydd yr adar i'w gweld yn bwydo ar forfa'r Ddyfi (ar warchodfa Ynys-hir). Mae math arall o ŵydd dalcen-wen hefyd, sef yr hil Ewropeaidd sy'n nythu yn Siberia. Gellir gwahaniaethu rhyngddi â hil yr Ynys Las gan fod gan hon big pinc. Ers talwm, roedd yn eithaf cyffredin yma, gyda heidiau o dros ddwy fil yng Nghwm Hafren rhwng Y Trallwm a'r Drenewydd ac yng Nghwm Tywi ger Dryslwyn. Yn anffodus, diflannodd haid Sir Drefaldwyn dros bum mlynedd ar hugain yn ôl, a does dim un wedi dychwelyd i ardal y Dryslwyn ers 1996. Erbyn heddiw, mae'n ymwelydd eithaf prin â Chymru.

Does neb yn rhy sicr pam fod yr ŵydd dalcen-wen Ewropeaidd wedi diflannu mewn amser mor fyr, ond credir bod miloedd o erwau o dir bwydo ffrwythlon newydd (caeau o gnydau yn bennaf) wedi cael eu creu ar y Cyfandir mewn gwledydd fel yr Iseldiroedd a'r Almaen, ac felly does dim raid i'r gwyddau ddod mor bell i'r gorllewin i aeafu.

Mae hil yr Ynys Las yn dal ei thir ar y Ddyfi ond mae pryder y bydd problemau'n ymddangos wrth i boblogaeth gwyddau Canada gynyddu yno. Gŵydd estron ydi honno, gafodd ei chyflwyno o Ganada gan helwyr yn yr ail ganrif ar bymtheg. Ers hynny, mae'r boblogaeth wedi cynyddu'n arw mewn rhai ardaloedd. Ar y Ddyfi, mae bron i ddwy fil o wyddau Canada erbyn hyn, a cheir peth tystiolaeth eu bod yn dechrau bwydo yn hoff ardaloedd yr ŵydd dalcen-wen. Yn sicr, bydd rhaid cadw llygad craff ar y sefyllfa er mwyn sicrhau dyfodol yr ymwelydd prin o'r Ynys Las.

Gŵydd arall sy'n ffynnu ar y Ddyfi, fel mewn sawl man arall yng Nghymru, ydi'r ŵydd wyllt (greylag goose). Yn anffodus, nid gŵydd wyllt go iawn ydi hon ond un sydd wedi denig i'r gwyllt o gasgliadau anwes. Mae llawer o bobol ddim yn hoff o'r ŵydd yma, nac o ŵydd Canada – ond mae'n braf gweld heidiau ohonyn nhw'n hedfan dros y tŷ acw gyda'r hwyr.

Dwi'n meddwl bod hadau'n bethau gwyrthiol iawn, a'r gwahanol ddulliau sydd gan blanhigion o sicrhau bod yr hadau'n teithio'n bell oddi wrth y fam blanhigyn yn aml yn anhygoel. Mae'r pellter hwn yn bwysig, fel nad yw'r planhigyn ifanc yn gorfod cystadlu yn erbyn ei fam na chwaith yn cael ei gysgodi'n ormodol gan y planhigyn mwy o faint. Bydd rhai yn defnyddio'r gwynt i ledaenu'r hadau – y fasarnen (*sycamore*), er enghraifft – ac eraill fel y ddraenen yn gorchuddio'r had mewn ffrwyth fel ei fod yn cael ei gludo ymaith gan aderyn neu anifail. Bydd eraill wedi tyfu bachau arbennig ar yr had fel ei fod yn gludo i gôt anifail, a chyda'r amlycaf o'r rhain ydi'r cyngaf mawr (*greater burdock*). Trowch i Eiriadur yr Academi os am weld enwau eraill diddorol ar hwn!

Erbyn mis Medi, bydd blodau'r planhigyn cyffredin yma wedi diflannu i adael hadau mewn gwely o fachau trwchus. Mae'n blanhigyn mawr, amlwg ac fe'i gwelir ran amlaf ar ochrau'r ffyrdd, ar gyrion coedwigoedd neu ar hyd llwybrau. Pan oedden ni'n blant, dwi'n cofio taflu'r ffrwythau at ein gilydd ar y ffordd i'r ysgol, ac os oedd unrhyw un yn ddigon ffôl i wisgo siwmper wlân roedd yn darged hawdd. Bryd hynny, am resymau amlwg, roedden ni'n adnabod y planhigyn fel 'y planhigyn *velcro*'.

Bydd yr hadau'n gludo'n dynn at siwmper yn yr un ffordd ag y maen nhw'n gludo i ffwr anifail sy'n rhwbio yn erbyn y planhigyn yn y gwyllt, a'r hadau hynny wedyn yn cwympo i'r ddaear – rywle ymhell i ffwrdd, efallai. Y rheswm pam bod cymaint o'r cyngaf mawr yn tyfu ar hyd ochrau llwybrau cyhoeddus ydi bod llawer o bobol a chŵn yn troedio'r llwybrau, a nifer dda ohonynt (yn hollol ddiarwybod iddyn nhw'u hunain) yn chwarae rhan bwysig yn y broses o ledaenu'r planhigyn.

Yn yr hen ddyddiau roedd y dail mawr trwchus yn cael eu defnyddio i lapio menyn, a dwi'n cofio hen grwydryn yn dweud wrtha i ei fod o'n arfer bwyta'r gwreiddiau wedi'u ffrio. Yn wreiddiol, roedd y planhigyn yn cael ei ddefnyddio i wneud y ddiod 'dandelion and burdock', ond erbyn heddiw mae cynhwysion hwnnw i gyd yn dod o dramor.

★ ★ ★

Fis Medi'r llynedd, cefais alwad i fynd allan gyda thîm o Asiantaeth yr Amgylchedd a oedd yn pysgota darn o afon sy'n rhedeg i mewn i'r Afon Ddyfrdwy ger Wrecsam. Nid pysgota cyffredin oedd hyn yn mynd i fod ond 'pysgota trydan' – lle mae gwyddonydd yn syfrdanu'r pysgod trwy roi sioc drydanol trwy'r dŵr. Wrth i'r pysgod ddod i'r wyneb, bydd gwyddonydd arall yn eu dal mewn rhwyd, ac mae'r nifer o bysgod a gaiff eu dal fel hyn yn arwydd o safon yr afon.

Ar ôl y sliwod yr oedd y tîm y diwrnod hwnnw a daliwyd dros hanner cant ohonynt mewn can medr o afon, ond yr hyn a'm synnodd i oedd fod llawer lleden fwd *(flounder)* wedi cael eu dal yno hefyd. Roeddwn i wastad yn meddwl mai pysgod dŵr hallt oedd y rhain, yn byw yn y môr ac mewn aberoedd, ond maen nhw hefyd yn mentro i fyny'r afonydd. Gan nad ydynt yn nofwyr cryf, fel yr eogiaid a'r sewin, does dim posib iddyn nhw fentro'n bell i fyny'r afon a bydd unrhyw raeadr bach yn eu stopio'n syth. Roedd hi'n amlwg bod rhai o'r lledod mwd a ddaliwyd y diwrnod hwnnw'n eithaf hen ac yn pwyso bron i bwys, a phe tasai swyddogion yr Asiantaeth ddim wedi bod yno, buasai un neu ddau wedi gwneud y daith hir i'r badell ffrio adra acw!

★ ★ ★

Er bod yr haf yn dirwyn i ben, mae niferoedd y llygod yn dal i gynyddu gan fod digonedd o fwyd o gwmpas. Bydd yr anifeiliaid bach yma'n manteisio ar y ffrwythau a'r hadau sy'n drwm ar y coed, ac erbyn diwedd y mis bydd miliynau o lygod bach yn crwydro hyd y caeau a'r coedwigoedd. Mae hyn yn golygu bod digonedd o fwyd o gwmpas i rai o'n hadar ysglyfaethus, ac un aderyn sy'n gallu manteisio ar y wledd ydi'r dylluan wen *(barn owl)*.

Fel rheol, dim ond un nythaid fydd y dylluan yma'n ei fagu a bydd y cywion yn gadael y nyth cyn canol mis

Gorffennaf. Ond os yw'r tywydd yn dal yn eithaf sych a braf, a digonedd o lygod o gwmpas, gall yr iâr ail-ddodwy. Golyga hyn fod cywion newynog yn y nyth ym mis Medi. Dwi'n cofio gweld nyth tylluan wen â phedwar cyw ynddo mewn hen ysgubor ger Cors Caron, a dywedodd adarydd lleol wrtha i ar y pryd bod y pâr eisoes wedi magu chwe cyw yn y nythaid cyntaf.

Roedd y dylluan wen yn gyffredin iawn ac yn ffrind mawr i'r ffarmwr ers talwm, a byddai pâr yn nythu ar bron bob fferm oedd ar dir isel. Dros y blynyddoedd, â'r caeau gwair llawn llygod wedi cael eu gwella ar gyfer amaethyddiaeth, mae'r anifeiliaid bychain a'r dylluan wedi diflannu. Yn ffodus, mae'r aderyn wedi dal ei dir mewn rhai rhannau o Gymru dros y chwarter canrif ddiwethaf, ac mae'n parhau i fod yn eithaf cyffredin (er yn anodd i'w weld) mewn mannau fel Ynys Môn.

Bydd y dylluan wen yn dewis dodwy mewn ysgubor, adfail, twll mewn coeden neu mewn blwch nythu, ac yno bydd yr iâr yn dodwy rhwng tri ac wyth o wyau gwyn, crwn. Gan fod rhyw ddau ddiwrnod rhwng pob ŵy, bydd dau ddiwrnod rhwng pob cyw hefyd, a gall y nyth gynnal cywion sy'n amrywio o bythefnos i ddiwrnod oed. Pan fydd bwyd yn brin bydd y cywion ifanc yn marw ac yn cael eu llarpio gan y rhai hŷn, ond pan fydd digonedd o fwyd ar gael, gall pob un oroesi.

Mae'r dylluan wedi'i haddasu'n berffaith i hela gyda'r hwyr. Mae'i llygadau hi'n rhai anferth, a gall weld y prae yn glir yng ngolau'r lleuad. Mae'r ddwy glust wedi'u cuddio ymysg y plu sydd tu ôl i'r llygad, a chan fod un glust yn uwch na'r llall gall ddweud yn union o ble mae sŵn llygoden yn dod, hyd yn oed os nad yw'n gallu gweld yr anifail! Mae bachau bach ar ochr plu mawr yr adenydd yn sicrhau nad yw'n gwneud yr un murmur o sŵn wrth hedfan; does dim syndod i'r dylluan ennill yr enw 'y bradlofrudd tawel'.

Fel pob aderyn ysglyfaethus arall, mae'r dylluan wen yn cyfogi – fel pelenni tywyll – y ffwr a'r esgyrn na all hi mo'u treulio. Wrth gasglu'r pelenni yma, mae'n bosibl casglu

...onfraith.

Pryf cop, ar sgertin yn y tŷ!

...ydd wyllt.

Gwyddau Canada.

Gwiwer lw

gwybodaeth am yr hyn mae'r dylluan yn ei fwyta, ac mae Duncan Brown o Gyngor Cefn Gwlad Cymru wedi bod yn gwneud hyn ers rhai blynyddoedd bellach. Nid yn unig mae Duncan wedi adeiladu darlun manwl o ddeiet y dylluan, ond mae hefyd wedi ychwanegu at ein gwybodaeth o ddosbarthiad anifeiliaid prin fel llygoden bengron y dŵr a llyg y dŵr – gan eu bod hwythau'n cael eu llarpio gan y dylluan gyfrwys o dro i dro.

Hydref

Yng nghanol y mis, bydd tymor pysgota'r brithyll (*brown trout*) yn dirwyn i ben. Pan oeddwn yn fachgen, arferwn wneud y gorau o'r pythefnos yma a physgota mor aml ag y gallwn. Yn ogystal â physgota'r Afon Efyrnwy byddwn hefyd yn dringo i Lyn y Mynydd, cronfa fach a adeiladwyd ar y rhosdir rhwng Llanwddyn a Llangynog. Doedd dim pysgod mawr yno – tua hanner pwys oedd y mwyaf i mi ei ddal – ond roedden nhw'n bysgod gwydn ac yn gwffiwrs da. Yr un peth arall dwi'n ei gofio amdanyn nhw ydi'r lliw du ar hyd eu cefnau, hynny er mwyn i'r pysgod allu ymdoddi i'w cefndir gan mai tir a dŵr mawnog oedd i'w gael yno.

Dim ond y crachach oedd yn cael pysgota ar Lyn Efyrnwy ond byddai rhai ohonom yn pysgota'n anghyfreithlon o'r lan fin nos er mwyn ceisio dal brithyll seithliw (*rainbow trout*). Brithyll bach oedd i'w gael yn yr Afon Efyrnwy, byth bron yn tyfu'n fwy na rhyw bwys a hanner, ond roedd brithyll seithliw y llyn yn tyfu hyd at bedwar pwys a mwy, a'r *rheiny* oedden ni ar eu holau! Dwi'n cofio mai'r llefydd gorau i'w dal oedd wrth geg yr afonydd oedd yn llifo i mewn i'r llyn, gan fod yr afonydd yn cludo mwydod a phryfed gyda nhw. Byddai'r pysgod mawr yn dod yn agosach i'r lan yn y nos, ac yn aros yn amyneddgar i'r bwyd gael ei olchi i mewn gan yr afonydd.

Mae'r brithyll yn gynhenid i'r wlad yma ac i'w weld yn bennaf mewn nentydd ac afonydd lle mae'r dŵr yn rhedeg yn gyflym dros y cerrig, ac felly ddigonedd o ocsigen yn y dŵr. Daw'r brithyll seithliw o Ogledd America yn wreiddiol, a chaiff ei enw o'r llinell liwgar (pinc yn bennaf) sy'n rhedeg i lawr ei ochr. Y pysgodyn estron yma sy'n cael ei gadw ar ffermydd pysgod a'i ryddhau i lynnoedd am ei fod yn tyfu'n gyflymach ac yn haws i'w drin na'r brithyll, er nad oes unrhyw dystiolaeth ei fod yn gallu bridio yn y gwyllt yng Nghymru. Ond, ym marn y rhan fwyaf o bysgotwyr, does dim byd gwell na physgota am frithyll gwyllt – yn sicr, mae'n blasu'n well na'i gefnder estron.

★ ★ ★

Ym mis Hydref, mae'r aeron ar eu gorau a'r perthi'n fôr o liw. Bydd y ddraenen ddu, y rhosyn gwyllt, yr ysgawen *(elder)* a'r gorswigen *(guelder rose)* yn drwm o ffrwythau rŵan, a phob math o greaduriaid yn gwledda arnynt. Dwi wedi sylwi bod yr adar fel petaent yn bwyta'r aeron mwyaf blasus gyntaf ac yn gadael y rhai chwerwach tan y diwedd. Felly aeron yr ysgawen a'r gorswigen fydd yn tueddu i ddiflannu gyntaf, a rhai'r ddraenen ddu yn cael aros ar y pren tan ganol y gaeaf.

Mae'r aeron yn fwyd amheuthun i gymaint o greaduriaid sy'n paratoi at y gaeaf llwm. Bydd yr aeron isaf, fel y mwyar duon, yn cael eu llarpio gan lwynogod, moch daear a llygod o bob math a'r rhai uchaf, fel rhai'r ddraenen ddu, yn fwyd i adar fel y fwyalchen a'r fronfraith. Bydd pryfed, yn cynnwys glöynnod byw, yn bwydo ar rai meddal, gor-aeddfed – a dwi hyd yn oed wedi gweld pysgod yn bwydo ar aeron oedd wedi cwympo i mewn i'r dŵr.

★ ★ ★

Bob mis Hydref, bydd wardeniaid yr RSPB yn pererindota i Ynys Gwales oddi ar arfordir Sir Benfro, ar ymweliad ola'r flwyddyn i weld yr huganod *(gannets)*. Fel rheol, bydd y cywion wedi gadael y nyth cyn canol y mis ond mae un neu ddau yn cael eu gadael ar ôl o achos blerwch dyn. Bydd yr adar yn casglu gwymon o'r môr i adeiladu'r nythod ond maen nhw hefyd yn hoff o godi unrhyw beth llachar sy'n gorwedd ar wyneb y môr. Mae hyn yn cynnwys rhwydi pysgotwyr, a thros y cyfnod nythu bydd rhai o'r cywion yn mynd ynghlwm yn y rhwydi ac yn cael eu gadael yno gan y rhieni.

Dwi wedi bod gyda'r wardeniaid ar eu taith ac wedi gweld yr effaith ofnadwy gaiff y rhwydi hyn ar yr adar. Aethom i'r ynys ar ddiwrnod braf yng nghanol y nawdegau; bryd hynny, roedd tuag ugain o gywion wedi'u dal gerfydd eu traed.

Roedd o leiaf chwech ohonynt wedi colli coes o achos y rhwydi a deg o rai eraill wedi marw eisoes. Diolch byth, roeddem yn gallu rhyddhau yr ugain ond roedd gofyn bod yn ofalus efo'u pigau miniog, peryglus. Mae'n anodd credu'r fath effaith a gaiff sbwriel dyn ar fywyd gwyllt, ac er mai er cyfleustra y bydd pobl a phlant yn taflu poteli plastig a sbwriel o bob math i'r môr, mae'n bwysig cofio bod y 'cyfleustra' hwn yn gallu lladd pob math o anifeiliaid.

★ ★ ★

Hydref ydi un o fisoedd pwysica'r ceirw, ac er ein bod yn cysylltu'r anifeiliaid yma gyda'r Alban a Lloegr yn bennaf, fe synnech chi faint o geirw sydd i'w cael yma hefyd. Does dim dwywaith eu bod yn fwy swil ac yn anoddach i'w gweld yma nag yn yr Alban, ond mae o leiaf bedair gwahanol rywogaeth yn ffynnu yng Nghymru heddiw.

Y mwyaf o'r rhain ydi'r carw coch (red deer), sef yr un sydd i'w weld ar bron pob darlun o ucheldir yr Alban. Mae'r hydd yn anifail urddasol gyda'i gyrn anferth, ac mae poblogaeth fechan yn tyfu'n flynyddol ym Mannau Brycheiniog. Fe ddes i ar eu traws wrth yrru adref o Abertawe i gyfeiriad Aberhonddu yn hwyr un noson, pan fu bron imi daro ewig oedd yn croesi'r ffordd o flaen y car. Roeddwn yn disgwyl gweld buwch neu ddafad ar y ffordd, ond fe ges i dipyn o fraw wrth weld carw coch!

Rhain ydi anifeiliaid mwyaf Prydain a gall hydd bwyso dros gant a hanner o gilogramau pan mae mewn cyflwr da. Browngoch ydi lliw'r gôt fel arfer ond mae'n gallu amrywio o frown tywyll i lwyd. Ar wahân i'r maint, y peth arall sy'n nodweddu'r carw coch ydi'r darn gwyn, amlwg o amgylch y gynffon fer. Trwy'r gwanwyn, haf a dechrau'r hydref, byddant yn tyfu cyrn mawr er mwyn paratoi am y rhidiad (rut) ym mis Hydref. Dyna pryd y bydd yr hydd yn ceisio cadw hyddod eraill draw er mwyn cael llonydd i gymharu gyda'i ewigod. I ddechrau, bydd yn rhuo'n uchel ac yn bygwth yr anifeiliaid gwrywaidd eraill. Mae hyn ynddo'i hun yn ddigon i ddychryn yr hyddod ifanc, ond pan ddaw hydd mawr arall yn agos, wedyn y bydd y cwffio'n dechrau go iawn!

Mae'r paffio'n gallu bod yn ffyrnig ofnadwy, gyda'r ddau anifail yn defnyddio'u cyrn i geisio gwthio'r llall yn ei ôl. Unwaith y bydd y mwyaf a'r cryfaf wedi ennill, bydd y collwr yn gorfod cilio a gadael llonydd i'r haid. Yn anffodus, bydd yn rhaid i'r hydd wneud hyn dro ar ôl tro, ac ar ôl pythefnos o gwffio gall wanhau yn aruthrol a cholli dros ugain y cant o'i bwysau. Ond wedi i'r rhidiad ddirwyn i ben, bydd yn gadael yr ewigod ac yn cychwyn paratoi at y gaeaf.

Carw sy'n llawer haws i'w weld yma yng Nghymru ydi'r bwch y danas *(fallow deer)*, anifail a gafodd ei gyflwyno i Brydain gan y Normaniaid yn yr unfed ganrif ar ddeg gan ei fod yn haws i'w gadw a'i hela na'r carw coch. Er fod ganddo ddosbarthiad eang trwy'r wlad (hyd yn oed heddiw), mae'n gysylltiedig â rhai o'r tai mawrion a'r llefydd gorau i fynd i'w weld ydi parciau fel Gelli Aur ger Llandeilo a Margam ger Penybont ar Ogwr. Maen nhw'n anifeiliaid llai o lawer na'r ceirw coch, ac er bod lliw'r gôt yn gallu amrywio o wyn i ddu, fel rheol mae hi'n frowngoch gyda smotiau gwynion ar y cefn a'r ochrau. Yn yr haf a'r hydref bydd gan y bychod gyrn llydan, yn wahanol i gyrn pigog y carw coch.

Mae o leiaf ddwy rywogaeth arall wedi dod i mewn i Gymru o Loegr dros y chwarter canrif diwethaf, sef yr iwrch *(roe deer)*, sydd tua'r un maint â dafad, a cheirw mwntjac, sydd tua'r un maint â chŵn defaid. Daw'r mwntjac yn wreiddiol o Dde Tseina ond cafodd ei gyflwyno i Barc Woburn yn Ne-ddwyrain Lloegr tua 1900, ac mae wedi lledaenu dros y wlad ers hynny. Nid yw'n gyffredin yng Nghymru eto, ond mewn amser mae'n siwr o gyrraedd pob sir yma hefyd.

★ ★ ★

Tybed faint ohonom sydd wedi cerdded heibio i gen yn tyfu ar goed neu gerrig heb dalu unrhyw sylw iddyn nhw o gwbwl? Dwi'n gwybod 'mod i wedi gwneud hynny droeon, a dim ond yn ddiweddar yr ydw i wedi dechrau ymddiddori yn y planhigion unigryw yma. Priodas ydi cen rhwng y ffwng, sy'n rhoi'r siâp i'r planhigyn, a'r alga, sy'n cynhyrchu'r bwyd. Trwy gydweithio fel hyn, gall y cen dyfu mewn llefydd lle buasai'r ffwng neu'r alga wedi marw petaent ar eu pennau eu hunain. Felly, mae'n ffynnu ar risgl coed, cerrig beddi ac ochrau tai – lle bynnag mae'r awyr yn lân.

Dim ond ychydig fathau (neu rywogaethau) o'r cen sydd ag enw Saesneg wedi'i roi arnynt – llai fyth o enwau Cymraeg – ond ers talwm roeddem yn defnyddio'r gwahanol fathau yn helaeth i liwio dillad. Gobeithio nad oes unrhyw un ar ganol bwyta ar hyn o bryd, achos doedd y broses o liwio gwlân trwy ddefnyddio cen ddim yn un dymunol iawn. I gychwyn, roedd pobol yn mynd o amgylch pentrefi yn casglu piso mewn pwcedi, gan fod yr amonia yn y troeth yn tynnu'r lliwiau allan o'r cen. Roedd rhai rhywogaethau'n rhoi lliwiau glas, eraill yn rhoi lliwiau coch, ac yn y blaen. Ar ôl i'r gwlân fod yn y gymysgedd am rai dyddiau, roedd yn barod i'w olchi a'i wau.

Wrth gerdded heibio waliau cerrig, edrychwch ar y cen sy'n gorchuddio'r cerrig uchaf. Yma ac acw fe welwch lle mae baw adar wedi cwympo ar y cen, a darn o'r wal o'i amgylch wedi troi'n goch neu'n las. Dyma lle mae'r amonia yn y baw wedi cael yr un effaith â'r droeth 'slawer dydd.

★ ★ ★

Yn ogystal â chen, mae ffwng ar ei orau y mis hwn, ac wrth fynd am dro trwy unrhyw goedwig fe welwch ddwsinau o wahanol fathau ohono. Mae gan wahanol gynefinoedd eu gwahanol ffwng, ac er nad ydw i'n arbenigwr, dwi'n adnabod y mathau hynny sy'n flasus i'w bwyta!

Mae ffyngau yn bethau unigryw, gan eu bod yn perthyn yn agosach i ni, deulu'r anifeiliaid, nag ydyn nhw i blanhigion eraill. Mae ganddyn nhw hefyd ran hollbwysig yn y broses o droi coed, dail, ysgerbydau ag ati yn bridd ac yn faeth. Fel y rhewfynydd, dim ond canran fechan o'r ffwng, hefyd, sydd yn y golwg – mae'r rhan helaethaf ohono yn ffurfio gwreidd-iau arbennig i 'dorri i lawr' yr hyn sydd yn y pridd. Yn wir, all llawer o blanhigion ddim tyfu os nad ydi'u gwreiddiau nhw'n gweithio mewn cysylltiad agos â ffwng.

Un o'r rhywogaethau mwyaf cyfarwydd ydi madarchen y maes (*field mushroom*), sy'n amlwg iawn ar gaeau amaethyddol gyda'i gap gwyn. Dwi'n siwr bod y rhan fwyaf o bobol y wlad wedi casglu a bwyta'r madarch yma ryw dro neu'i gilydd, ac fe fydda i'n dal i fynd allan bob mis Hydref i'w casglu yn y caeau lle mae'r ceffylau gerllaw'r tŷ acw. Rhai eraill sy'n flasus dros ben ac yn tyfu'n lleol ydi ambarelo'r bwgan (*parasol*), sy'n aml yn tyfu ger ochr y ffordd ac sydd â chap gwyn a smotiau brown arno; hefyd y siantrel (*chanterelle*), sy'n felyn, yn arogli o fricyll (*apricots*) ac yn tyfu mewn coedwigoedd.

Mae gofyn bod yn ofalus dros ben, fodd bynnag, gan fod llawer un yn wenwynig tu hwnt. Ymhlith yr amlycaf o'r rhain y mae amanita'r gwybed (*fly agaric*), gyda'i gap coch â smotiau gwyn arno, sy'n tyfu ger coed bedw. Y peth gorau i'w wneud ydi mynd am dro gydag arbenigwr, fel y gellwch ddysgu llawer am ffwng yn ogystal â bwyta'r rhai blasus ar ôl cyrraedd adref.

★ ★ ★

Dydi rhywun ddim yn arfer meddwl am adar yn nythu ym mis Hydref ond dyma un o'r misoedd prysuraf i'r ysguthan. Gall yr aderyn yma nythu unrhyw adeg o'r flwyddyn os ydi'r tywydd yn fwyn, ond mae'r tymor bridio yn ei anterth yn yr hydref. Y rheswm pennaf am hyn ydi'r ffaith bod ysguthanod yn hoff iawn o fwydo ar gnydau a hadau ifanc, a dyma'r adeg o'r flwyddyn y bydd digonedd o'u hoff fwyd ar gael. Yng Nghymru, mae'r ysguthan yn fwyaf cyffredin yn y dwyrain, yn yr ardaloedd sych hynny lle bydd ffermwyr yn tyfu cnydau.

Mae'n aderyn tew yr olwg, gyda chefn llwyd, bron binc a choler wen. Bydd hefyd linell wen yn amlwg ar yr adenydd pan fydd yn hedfan. Os mai'r titw gynffon hir sy'n ennill y wobr am y nyth gorau, yr ysguthan sy'n mynd â hi am y nyth gwaethaf o'r cwbwl gan nad yw'n ddim ond pentwr o frigau mân wedi'u gosod ar draws ei gilydd ymysg brigau'r coed. Dwi wedi gweld wyau a chywion wedi cael eu chwythu allan o'r nyth mewn storm, ac mae'n syndod bod unrhyw gyw yn aros ar y nyth yn ddigon hir i allu hedfan.

Efallai bod digonedd o fwyd i'r ysguthan ym mis Hydref,

ond gallai'r tywydd droi yn sydyn iawn a'r perygl wedyn ydi bod yr oedolion yn gorfod gadael y cyw ifanc am gyfnodau hir, a hwnnw'n sythu a marw yn yr oerni. Yn wahanol i adar eraill, fodd bynnag, mae chwarren arbenig gan yr aderyn yma sy'n cynhyrchu 'llaeth' llawn maeth, a bydd y fam yn cyfogi hwn i fwydo'r cywion. Fel hyn, bydd y cywion yn tyfu'n gyflym a does dim raid i'r oedolion adael y nyth am gyfnodau hir i chwilio am fwyd.

Yn ein trefi mawrion a'n dinasoedd, gall colomennod hefyd nythu rownd y flwyddyn. Ond nid colomennod gwyllt mo'r rhain. Ganrifoedd lawer yn ôl, roedd colomennod gwyllt yn nythu ar hyd arfordir caregog Cymru a chafodd llawer eu dofi, yn wreiddiol fel bwyd ond yn ddiweddarach er mwyn eu rasio. Dihangodd rhai yn ôl i'r gwyllt dros y blynyddoedd, yn enwedig yn dilyn rasus colomennod, a'r rhain sydd wedi ymgartrefu yn ein dinasoedd erbyn heddiw.

Yn wir, mae dinas yn safle perffaith iddyn nhw. Mae digonedd o lecynnau diogel i nythu – o dan bontydd rheilffordd, er enghraifft – a chan fod dyn mor wastrafflyd mae hen ddigon o fwyd ar gael. Dwi'n cofio cerdded wrth yr orsaf rheilffordd yng Nghasnewydd a gweld dwsinau o barau'n nythu mewn hen adeilad, a'r oedolion ddim yn gorfod hedfan mwy na rhyw hanner canllath oddi yno i gefn becws i fwydo ar y cacenni a'r bara a deflid allan i'r biniau. Dyna ichi beth yw gwesty moethus i golomen.

Yn ogystal â'r bwyd a llecynnau nythu delfrydol, mae tymheredd y ddinas ar gyfartaledd yn gynhesach na chefn gwlad a bydd hyn eto yn hybu'r adar i nythu yng nghanol y gaeaf. Ynghyd â'r colomennod, mae adar eraill fel y cudyll coch a'r gigfran wedi dechrau nythu yn ein trefi mawrion, a dwi wedi gweld llwynogod yng nghanol Caerdydd ar sawl achlysur.

★ ★ ★

Un o'r ychydig anifeiliaid sy'n syrthio i drymgwsg dros y gaeaf ydi'r pathew (*dormouse*), a bydd yn gwneud y gorau o hadau a ffrwythau'r Hydref er mwyn ennill cymaint o bwysau ag sy'n bosibl. Ychydig iawn o bobol sydd wedi gweld pathew gan mai gyda'r nos y bydd yn ymddangos, ond mae'n ddigon tebyg i lygoden lliw oren gyda chynffon hir. Bydd yn bwydo'n bennaf ar flodau – yn enwedig gwyddfid – yn ogystal â chnau a ffrwythau. Yng Nghymru, mae'n anifail eithaf prin ac i'w weld yn bennaf mewn coedwigoedd a pherthi hynafol yn yr iseldir, yn enwedig yn y dwyrain.

Y dyddiau hyn, bydd llawer o fforestwyr a chadwraethwyr yn codi blychau nythu er mwyn hybu poblogaethau'r pathew. Mae'r rhain yn debyg iawn i flychau'r titw ond bod y twll yn y blwch yn wynebu'r boncyff fel bod yr anifeiliaid yn gallu dringo i mewn heb gael eu gweld. Dim ond i roi genedigaeth i'r rhai bach yn yr haf y byddan nhw'n defnyddio'r blychau, a thros y gaeaf fe fyddan nhw'n adeiladu nyth clyd o risgl gwyddfid a gwair, naill ai mewn tyfiant yn agos i'r ddaear neu hyd yn oed o dan y ddaear.

Maent yn hoff iawn o goed collddail gyda digonedd o gyll, ac mae unrhyw goedwig gymysg lle mae'r coed wedi cael eu bôn-docio yn ddelfrydol iddynt. Dwi'n cofio mynd gyda naturiaethwr lleol i weld rhai mewn hen berth wedi'i hamgylchynu gan goed conwydd yng Nghorris ger Machynlleth. Mae'n rhaid bod y pathewod wedi cael eu hynysu yno ers dros hanner canrif ond, yn amlwg, roedd y ddau gan medr o berth yn ddigon i'w cynnal.

Pur anaml y bydd rhywun yn dod ar draws pathew (ar wahân i'r arbenigwyr sy'n cadw llygad arnynt yn y blychau), a chan ei fod yn anifail mor brin mae angen trwydded gan Gyngor Cefn Gwlad Cymru i wneud hynny. Mae'n bosibl edrych am arwyddion o'i bresenoldeb, fodd bynnag, gan ei fod yn agor cnau mewn ffordd unigryw. Lle bydd y wiwer yn cnoi'r gneuen i'w thorri yn ei hanner a'r llygoden yn agor twll blêr, fe wna'r pathew dwll crwn, taclus ynddi. Wrth chwilio am gnau a gafodd eu tyllu yn y modd hwn, felly, gall gwyddonwyr fapio dosbarthiad yr anifail.

* * *

Mae ffesantod yn amlwg iawn yn yr hydref, yn enwedig o amgylch rhai o'r tai mawrion lle byddant yn cael eu rhyddhau gan giperiaid er mwyn eu saethu. Does neb yn siwr iawn pwy gyflwynodd ffesantod i Brydain, ond mae'n debyg mai'r Normaniaid oedd y rhai cyntaf i'w mewnforio (fel adar i'w bwyta) yn y ddeuddegfed ganrif. Does dim sôn amdanynt yn unman yng Nghymru tan oes y Tuduriaid, a gwyddom mai adar prin iawn oeddynt yma bryd hynny.

Daeth yr adar cyntaf o Dde-ddwyrain Ewrop, ond yn fwy diweddar mae rhai o Asia ac o Tseina wedi cael eu cyflwyno yma hefyd, a dyna pam mae amrywiaeth eang yn lliwiau'r ceiliogod a welwn ni heddiw.

Ychydig o'r adar sy'n goroesi yn y gwyllt ac oni bai am y stadau mawrion, buasai'r boblogaeth yn siwr o farw allan. Bob blwyddyn mae dros ugain miliwn o ffesantod yn cael eu saethu ym Mhrydain, sy'n dod â llawer o arian i ardaloedd gwledig – fel y gwnâi'r rugiar ers talwm. Yn wir, mae hyn wedi bod o fantais i fywyd gwyllt yn gyffredinol mewn rhai mannau, gan fod y stadau wedi cadw coedwigoedd eang ar gyfer yr adar.

Does dim dwywaith nad yw'r ceiliog ffesant yn aderyn prydferth dros ben, gyda'i blu lliw efydd, ei ben gwyrdd a'i fochau coch. Gan mai'r iâr sy'n gori'r wyau, digon di-liw ydi'i phlu llwydfrown hi. Bydd rhwng chwech a deg o wyau yn cael eu dodwy ganddi mewn nyth wedi'i guddio ar y ddaear ymysg llystyfiant tal. Bydd yr wyau i gyd yn deor ar yr un amser, a'r cywion yn cerdded yn syth wedyn er mwyn osgoi anifeiliaid rheibus. O fis Hydref ymlaen, byddaf yn gweld ffesantod yn y goedwig o gwmpas y tŷ acw gan eu bod yn dianc rhag gynnau brwd y stad gyfagos, ond erbyn Ebrill bydd y ceiliogod a'r ieir wedi diflannu unwaith eto.

Mae dau fath arall o ffesantod i'w cael yng Nghymru – y ffesant euraid, yn wreiddiol o Tseina, a'r ffesant Amherst, sy'n tarddu o Tibet a Burma. Mae ceiliog y rhywogaeth gyntaf yn aderyn hardd ac yn goch a melyn llachar, a'r llall â lliw arian ar hyd ei ben a'i frest. Mae'r ddau yn ychwanegu tipyn o liw i rai o goedwigoedd Cymru.

Rhyddhawyd y ffesant euraid i ddwy ardal ar Ynys Môn, sef stad Bodorgan ger Niwbwrch a choedwig Pen-y-Parc ger Biwmaris. Ffynnodd y boblogaeth am gyfnod ond erbyn heddiw mae'n debyg mai ychydig iawn o adar sydd ar ôl. Mae'r un peth yn wir am y ffesant Amherst, a gafodd ei rhyddhau i diroedd Castell Helygain tua 1950. Ffynnodd yr adar ar stad gyfagos am gyfnod ond does neb wedi'u gweld ers dros bum mlynedd bellach.

* * *

Un o'r pethau mwyaf nodweddiadol am fis Hydref ydi'r ffordd y bydd dail yn troi o wyrdd i bron bob lliw dan yr haul. Mae'n bleser bob amser cael mynd am dro trwy goedwig gollddail gymysg y mis yma, gyda'r dail melyn, euraid, oren a brown yn sisial yn y gwynt. Wrth i'r dydd fyrhau a'r tymheredd ostwng, bydd lliwiau'r dail yn newid yn gyson gan bod ffwng a bacteria yn ymosod ar y dail, a hyn i gyd sy'n achosi'r lliwiau amrywiol.

Nid yw'r dail yn mynd yn wastraff a does dim 'dynion bins' yn dod i'w casglu a'u taflu ar domen sbwriel gyfleus. Bydd pryfetach, ffwng a bacteria yn brysur drwy'r gaeaf yn torri'r dail i lawr a chreu pridd maethlon, ac erbyn y gwanwyn does fawr ddim ar ôl ohonynt.

Mae coed bythwyrdd hefyd yn colli eu dail, ond ddim i gyd ar yr un pryd. Mae'r broses o dorri'r dail gwydn yma i lawr yn un araf ac felly bydd carped trwchus o hen nodwyddau yn eistedd o dan goed pinwydd am flynyddoedd lawer.

Wrth sôn am ddail y coed yn cwympo, edrychwch yn fanwl ar frigau'r gastanwydden (neu'r goeden goncers) ac fe welwch un rheswm pam mae hi'n cael ei galw'n 'horse chestnut' yn Saesneg. Lle bynnag y bu deilen a gwympodd, gellir gweld craith siâp pedol ar y brigyn, ac ar y graith gellwch hyd yn oed weld ôl saith hoelen. Hefyd, yn Nhwrci (yn ôl y traddodiad) arferid bwydo'r cnau i geffylau fel meddyginiaeth at dorri gwynt!

* * *

Dwi'n siwr bod y rhan fwyaf ohonom wedi sylwi bod poblogaethau'r gwahanol fathau o frain ar gynnydd. Y dyddiau yma, dwi'n gweld llawer mwy o ydfrain, brain tyddyn a chigfrain nag a fyddwn i pan o'n i'n blentyn, ac yn aml hefyd yn gweld cannoedd yn heidio at ei gilydd i glwydo mewn safle diogel dros nos. Dros y pymtheng mlynedd diwethaf, mae tîm o wyddonwyr wedi bod yn cadw llygad ar glwydfan yng nghoedwig Niwbwrch ar Ynys Môn, ac maent wedi darganfod bod niferoedd anhygoel o'r adar yn ymgasglu yno ar ddiwedd yr haf a thrwy'r gaeaf.

Cigfrain ydi'r adar mwyaf niferus sydd yno, a chyfrwyd bron i ddwy fil yn dod i mewn i glwydo yng nghanol y nawdegau gan ffurfio'r glwydfan fwyaf yn y byd i gyd. Bydd cannoedd o ydfrain a brain tyddyn yno hefyd, yn ogystal â'r jac-y-do ac ambell i bioden. Mae'r adar yn dod o bob cyfeiriad ac mae gwaith ymchwil wedi dangos mai adar ifanc, dibrofiad ydi'r rhan fwyaf ohonynt. Mae gan bob cigfran ei hoff leoliad o fewn y glwydfan a bydd teuluoedd yn clwydo'n agos at ei gilydd. Mae'n debyg bod yr adar mwyaf profiadol o fewn y teulu yn rhannu gwybodaeth gyda'r rhai dibrofiad, yn enwedig ynglŷn â lleoliadau da am fwyd. Yn y bore, bydd y teulu i gyd yn gadael gyda'i gilydd i fwydo.

Credir bod cigfrain o Ogledd Lloegr, Iwerddon, Canol-barth Lloegr a Chymru gyfan yn dod i dreulio'r gaeaf yn Niwbwrch, rhai yn hedfan cannoedd o gilomedrau i gyrraedd yno. Mae llawer gwahanol reswm am hyn. I ddechrau, mae'r lleoliad yn ganolog i ddosbarthiad yr aderyn yma ym Mhrydain, a rhydd y coed conwydd loches ddiogel a chysgod oddi wrth y gwynt a'r glaw. Mae bwyd hefyd yn hollbwysig, ac mae digonedd i'w gael ar Ynys Môn ers i niferoedd y defaid sy'n gaeafu yno gynyddu'n aruthrol dros yr ugain mlynedd diwethaf. Gellir gweld yr adar yn bwydo ledled yr ynys ar ysgerbydau, pryfetach yn y pridd, tomenni sbwriel neu ar y traethau. Bydd llawer o adar hefyd yn gadael yr ynys am y tir mawr yn y boreuau ac yn dychwelyd gyda'r hwyr.

Bedair mlynedd yn ôl, cefais y fraint o guddio mewn cuddfan o dan y glwydfan a gwrando ar yr adar wrth iddynt hedfan i mewn i'r coed. Roedd y sŵn yn fyddarol ac roedd yn syndod cael ar ddeall faint o wahanol alwadau sydd gan y gigfran – dros ddeg ar hugain, medd y gwyddonwyr, a phob un â'i ystyr gwahanol. Roedd fel gwrando ar ddwsinau o wahanol sgyrsiau mewn tŷ tafarn gyda'r nos, ac wedi'r profiad yna dwi'n deall pam mae'r Sais yn defnyddio'r dywediad *a parliament of rooks*. (Cofiwch, dwi'n credu bod 'na lawer mwy o synnwyr i'w gael gan frain na chan wleidyddion mewn sawl senedd!)

★ ★ ★

Dwi'n mwynhau mynd am dro i lan y môr ar ddiwrnod gwyntog o Hydref, yn enwedig mewn ardaloedd lle mae 'na dwyni tywod eang. Bydd y gwynt yn rhedeg fel tonnau'r môr drwy'r moresg *(marram gras)* – y gwair hir, trwchus sy'n tyfu ar y twyni. Yn wir, gwreiddiau'r moresg sy'n clymu'r twyni at ei gilydd ac yn creu cynefin digon sefydlog i blanhigion eraill allu byw yno. Unwaith y bydd y twyni wedi ffurfio, daw'r malwod a'r madfallod ac adar fel yr ehedydd a'r llinos yn eu sgil, ond mae'r rhain i gyd yn dibynnu ar y moresg.

Mae'n blanhigyn sydd wedi addasu i dyfu mewn llefydd sydd â lefelau uchel o halen, ac yn stormydd mawr y gaeaf gall y tonnau orchuddio rhannau o'r twyni. Dyw hyn ddim yn broblem i'r planhigyn arbennig yma gan ei fod yn gallu gwrthsefyll y dŵr hallt drwy sicrhau nad yw'n colli llawer o ddŵr i'r atmosffer fel y gwna planhigion eraill. Mae ganddo ddeilen drwchus sy'n cau i mewn arni'i hun, a bydd y gwreiddiau yn tynnu cymaint o ddŵr croyw ag sy'n bosibl allan o'r tywod.

Ymysg y moresg, fe welwch blanhigion eraill sy'n gallu gwrthsefyll dŵr y môr a'i halen – fel celyn y môr *(sea holly)* gyda'i ddail pigog, a llaethlys y môr *(sea spurge)* gyda'i ddail llwydwyrdd, trwchus. Torrwch ddeilen y planhigyn yma ac fe welwch 'laeth' gwyn yn dod ohoni (sy'n esbonio'i henw), ond byddwch yn ofalus gan ei fod yn chwerw ac yn wenwynig.

★ ★ ★

Ers dyddiau Charles Darwin, mae pob plentyn ysgol yn gyfarwydd ag esblygiad, a'r ffordd mae mwncïod wedi arwain hyd atom ni, fodau dynol, dros filiynau o flynyddoedd. Rydan ni'n tueddu i feddwl am esblygu fel rhywbeth a ddigwyddodd filoedd neu filiynau o flynyddoedd yn ôl, ond mae newidiadau *bach* yn mynd ymlaen o'n cwmpas drwy'r amser a gallwn weld llawer o'r newidiadau hynny (a'u heffeithiau) dim ond inni agor ein llygaid.

Dwi eisoes wedi sôn am anifeiliaid yn addasu i fyw mewn trefi a dinasoedd, ond rydan ni i gyd yn cofio'r adeg pan ddechreuodd y titw tomos las dorri topiau poteli llefrith er mwyn mynd at yr hufen. Cofnodwyd yr arferiad yma am y tro cyntaf yn y pumdegau ond yn ardal Llanwddyn ni chychwynnodd tan ddechrau'r saithdegau. Dwi'n cofio Mam yn dweud y drefn am fod rhywbeth wedi rhwygo twll yn y topiau arian, ond dim ond ymhen rhai wythnosau wedyn ar ddiwrnod oer ym mis Hydref y gwnaethon ni ddarganfod pwy oedd wrthi. Roedd o leiaf ddau ditw wedi dysgu bod hufen llawn maeth yn y poteli, ac o fewn pythefnos roedd mwy na hanner dwsin wrthi. Mae'n rhaid bod un titw yn dysgu wrth wylio titw arall, ond tybed a oedd titws brodorol Llanwddyn wedi darganfod yr hufen yn annibynol ar adar Lloegr, neu a oedd 'na aderyn estron wedi symud i mewn i'r ardal a'u dysgu?

Mae'r un peth yn wir am y pila werdd *(siskin)* sydd, yn ôl yr arbenigwyr, wedi dechrau bwydo o gawelli cnau gan eu bod yn debyg i foch coed, eu bwyd naturiol. Esiampl arall ydi'r brain, sy'n rhoi cregyn ar y ffordd er mwyn i geir fynd drostynt a'u hagor. Gwelais frân dyddyn yn gwneud hyn ger Talacre ar aber y Ddyfrdwy – tybed a oes brain neu wylanod eraill wedi dysgu'r grefft eto?

Gall newidiadau bach fel hyn arwain at newidiadau esblygol pwysig – ond dwi'n ofni y cymerith hi flynyddoedd lawer cyn y gwelwn ni biod yn trwsio'r teledu inni, neu lwynogod yn gweithio mewn garej!

Tachwedd

Go brin y buasech yn disgwyl imi fod yn sôn am rai o flodau'r haf ar gychwyn pennod mis Tachwedd, ond byddaf wastad yn rhyfeddu cymaint o flodau sy'n blodeuo mor hwyr â hyn yn y flwyddyn.

Mae ffordd gul, gysgodol yn arwain o'r tŷ acw ac yn dilyn yr Afon Hafren am tua cilomedr. Ar y ddwy ochr i'r llwybr fe geir perthi trwchus sy'n doreithiog o goed a thyfiant cymysg ynghyd â phob math o fywyd gwyllt, yn arbennig felly yn y gwanwyn. Ond hyd yn oed ym mis Tachwedd fe fydd blodyn neu ddau i'w gweld yno o hyd, yn enwedig ar yr ochr sy'n wynebu'r de (yr ochr gynnes).

Un o'r blodau sy'n blodeuo o ddiwedd y gwanwyn hyd at ganol y gaeaf ydi'r gludlys coch (red campion), sydd hefyd yn cael ei alw'n flodyn y neidr, blodyn taranau, lluglys yr ychen, llysiau'r robin a sawl enw tlws arall. Dywed y llyfrau blodau gwyllt bod hwn yn blodeuo rhwng Mawrth a Hydref, ond lle mae digon o gysgod a maeth yn y pridd gall flodeuo'n hwyrach na hynny, ac ar ddiwrnod braf o Dachwedd mae'n syndod faint o bryfed sy'n ymweld a'r blodau. Unwaith y daw'r barrug cyntaf, bydd y blodau'n gwywo ac o fewn diwrnodau bydd y gwrychoedd bron yn hollol ddi-liw – nes daw'r gwanwyn unwaith eto.

★ ★ ★

Gall diwrnod gerllaw'r môr yn Aberystwyth fod yn un bendithiol mewn mwy nag un ffordd y mis hwn, nid yn unig i flasu'r awyr iach a'r hufen iâ ar ddiwrnod braf ond hefyd i gael cip ar adar diddorol. Ar y creigiau wrth yr hen goleg bydd haid sylweddol o bibyddion du (purple sandpiper) yn treulio'r gaeaf. Yn wahanol i'r rhan fwyaf o rydyddion sy'n gaeafu yma, mae'r pibydd du yn treulio llawer o'i amser ar draethau caregog ac yn bwydo lle mae'r tonnau'n torri. Mae ganddo big tywyll, coesau melyn a lliw llwydlas ar blu ei gefn a'i adenydd. Cyn gadael yn y gwanwyn bydd y plu'n dechrau troi'n borffor, a hynny sy'n rhoi iddo'i enw Saesneg.

Mae'r pibydd du yn nythu yn yr Arctig, o Ganada i Ddwyrain Rwsia, ac mae hefyd boblogaeth fechan yn nythu yn ucheldir yr Alban bob blwyddyn. Mae modrwyo wedi dangos bod adar sy'n gaeafu yn Nwyrain Prydain yn nythu yn Norwy, ond mae'n fwy tebygol bod yr adar sy'n gaeafu yng Nghymru wedi hedfan yr holl ffordd o'r Ynys Las neu hyd yn oed Canada, ond does dim tystiolaeth bendant i gadarnhau hyn. Yn ogystal â'r haid yn Aberystwyth, mae heidiau bychain i'w gweld bob gaeaf ym Mae Trearddur ar Ynys Môn, Pen y Gogarth, Ynys Enlli ac Ynys Sgomer.

Os ydych am fynd i adarydda yn ardal Aberystwyth mae'n werth aros yno drwy'r dydd, achos wrth iddi nosi bydd miloedd o ddrudwennod (starlings) yn dod i glwydo ar y pier. Bydd yr adar yn hedfan uwchben y dref am hanner awr a mwy yn un cwmwl mawr, a dim ond wrth iddi nosi y byddan nhw'n rhuthro i gael lle ar y clwydi, sef y trawstiau metal sy'n cynnal y pier. Yr adar mwyaf profiadol sy'n cysgu yn y llefydd mwyaf diogel a chynnes yng nghanol yr haid, a'r rhai dibrofiad yn gorfod gwneud y gorau o lecynnau digon oer.

Gyda'r dydd, bydd y drudwennod yn bwydo ar ffermdir o amgylch y dref, a rhai yn teithio milltiroedd i ddarganfod y safleoedd bwydo gorau. Gyda'r hwyr, byddant yn hedfan mewn heidiau bychain yn ôl tua'r dref ac yn cyfarfod â heidiau eraill ar y ffordd. Erbyn cyrraedd y pier bydd miloedd o adar yn ymdroelli gyda'i gilydd, fel pysgod yn y môr, cyn mynd ar y trawstiau o dan y pier. Mae'n glwydfan berffaith gan ei bod yn rhoi cysgod iddynt hwy rhag y gwynt a'r glaw, a'r llanw wedyn yn golchi baw'r adar oddi ar y traeth ddwywaith y dydd. Fel pob aderyn arall sy'n clwydo fel hyn, does dim rhaid i'r drudwy wastraffu egni yn defnyddio'i gyhyrau i afael yn y trawstiau. Wrth iddo roi'i bwysau ar ei draed mae gewyn arbennig yn y goes yn cau'i fodiau'n dynn, felly does dim un o'r adar yn blino ac yn cwympo i'r môr islaw.

...w gwrywaidd (bwch).

Grŵp o ffyngau ar fryncyn.

Hugan.

Draenog yngh[...]

Yn anffodus, dyw'r heidiau mawr sy'n gaeafu yn y wlad yma ddim yn aros i nythu. Mae'r rhan fwyaf ohonynt yn dod o wledydd y Baltic ac o Orllewin Rwsia, ac mae'r hen enw Cymraeg 'aderyn yr eira' yn dangos tueddiad yr adar i symud ar draws Prydain tuag at y gorllewin pan ddaw tywydd garw. Yn y chwedegau a'r saithdegau, roedd heidiau o dros filiwn o adar i'w gweld ar adegau, ond erbyn heddiw mae haid o dros hanner can mil yn un eithriadol.

★ ★ ★

Dyma un o'r misoedd mwyaf peryglus i'r draenog wrth iddo baratoi at aeafgysgu dros y misoedd nesaf. Er mwyn gwneud hynny, mae'n rhaid iddo fwyta digon i ennill pwysau sylweddol, ac yna dod o hyd i bentwr o ddail a gwair sych er mwyn gwneud gwely clyd. Fel rheol, byddant yn dewis gwaelodion perthi neu bentwr o fieri allan o afael llwynogod a moch daear. Ond, ar ddechrau'r mis, bydd dyn wedi creu'r safle delfrydol iddo...

Byddwn yn adeiladu tas o frigau, bocsus, darnau o bren a hen ddillad bob mis Tachwedd er mwyn dathlu Noson Tân Gwyllt. Mae'r pentyrrau yma'n denu'r draenogod hefyd, gan eu bod yn ymddangos yn safleoedd gwych i lochesu'n glyd dros y gaeaf oer â'i law a'i wyntoedd. Ond, gwaetha'r modd, mae cannoedd o ddraenogod yn cael eu lladd yn flynyddol wrth i'r coelcerthi gael eu tanio. Dwi'n cofio ymweld ag ysbyty draenogod yng Nghaerdydd lle'r oedd tri anifail ffodus wedi llwyddo i ddenig heb fod wedi colli dim mwy na rhyw bigyn neu ddau! Yn anffodus, cael eu llosgi i farwolaeth y bydd y rhan fwyaf o'r creaduriaid.

Mae'n bosibl osgoi hyn trwy symud y goelcerth ychydig oriau cyn tanio, neu adeiladu'r pentwr ar y funud olaf. Gellwch hefyd greu llochesi i'r anifeiliaid trwy adeiladu pentyrrau o goed a dail o amgylch yr ardd. Mae blychau pwrpasol i'w cael ond maen nhw'n ddrud i'w prynu, ac mae taflu ychydig o frigau ar ben tomen o ddail a gwair yr un mor effeithiol. Mae'n bwysig gwneud popeth sy'n bosibl i hybu poblogaeth yr anifail bach yma gan fod ei niferoedd yn gostwng yn gyflym. Does neb yn siwr *pam*, ond mae defnyddio plaladdwyr yn ein gerddi a'r cynnydd mewn trafnidiaeth wedi ychwanegu at y gostyngiad.

★ ★ ★

Ni welais erioed aderyn y bwn *(bittern)* yng Nghymru. Dwi wedi gweld un yng ngwarchodfa Leighton Moss yng Ngogledd Lloegr a hefyd yn Norfolk, ond ddim hyd yn hyn yng Nghymru. Gan nad yw'n nythu yma bellach, y gaeaf ydi'r amser gorau i geisio gweld un; yn dilyn tywydd oer ym mis Tachwedd, bydd adar yn cyrraedd corsdir Ynys Môn a chorsydd Teifi a Chynffig o'r Cyfandir. A dweud y gwir, dwi wedi bod yn anlwcus aruthrol ar adegau – mynd i warchodfeydd lle mae rhywun wedi gweld aderyn y bwn, ddim ond iddo ddiflannu wrth imi gyrraedd ac ailymddangos wedi imi adael.

Yn y gwanwyn a'r haf mae angen corsdir eang ar yr adar yma i nythu, ond yn y gaeaf gallant fwydo mewn ffosydd neu mewn hesg ar ochr llynnoedd bach iawn. Byddant hefyd yn symud o un safle i un arall gerllaw yn gyson, ac felly maent yn llawer haws i'w gweld. Neu, o leiaf, dyna beth mae'r arbenigwyr yn ei ddweud…

★ ★ ★

O un crëyr swil iawn i un arall o'i deulu sy'n llawer mwy amlwg – y crëyr bach *(little egret)*. Dim ond ugain mlynedd yn ôl, roedd hwn yn ymwelydd prin iawn â Chymru a buasai un crëyr bach wedi denu dwsinau o adarwyr. Yn ddiweddar, fodd bynnag, mae'r boblogaeth ar y Cyfandir wedi cynyddu, ac o ganlyniad i hynny mae'r niferoedd sy'n ymweld â Chymru wedi chwyddo'n flynyddol. Yn 2002, nythodd yr adar am y tro cyntaf erioed yn y wlad yma, un pâr yn y Gogledd ac o leiaf un pâr yn y De.

Os ydych am weld y crëyr gwyn yma gyda'i goesau duon a'i draed melyn, mae bron bob aber yn cynnal o leiaf ddau neu dri o'r adar hyn erbyn heddiw. Ond os ydych am weld dwsinau ohonynt gyda'i gilydd, anelwch am warchodfa Penclacwydd ger Llanelli lle bydd dros gant yn clwydo ar un o'r ynysoedd. Ym mis Tachwedd 2002, gwyliais dros wyth deg o grehyrod bach yn hedfan i mewn o'r aber gerllaw i glwydo yn y warchodfa, ac roedd gwylio cymaint o'r adar claerwyn yma gyda'i gilydd yn atgoffa rhywun o'r Camargue yn Ne Ffrainc – ar waetha'r tywydd oer.

Mae'n bosibl cuddio mewn cuddfan ar y warchodfa er mwyn gwylio'r adar ac, o dro i dro, bydd y wardeniaid yn arwain teithiau i'w gweld. Pan oeddwn i yno, yn ogystal â'r crehyrod fe welais ddau lwybig *(spoonbill)*, a daeth rhegen y dŵr *(water rail)* – aderyn swil iawn fel rheol – o fewn troedfedd i'r guddfan.

★ ★ ★

Mae'n anodd iawn astudio bywyd y môr heb fynd allan i bysgota ar gwch neu blymio o dan y dyfroedd, ond cerddwch ar hyd rhai o draethau'r Gorllewin yn dilyn storm a chewch syniad da o'r hyn sydd i'w weld allan yno.

Bydd gwymon o bob math yn cael ei rwygo ymaith o'r creigiau a'i olchi i fyny ar y traeth, ynghyd â chreaduriaid eraill. Dyma'r amser gorau un i gasglu cregyn, ac yn ogystal â'r rhai cyffredin fel cocos, cregyn gleision *(mussels)* a'r gyllell fôr *(razor shell)*, mae rhai pethau annisgwyl yn cael eu golchi i fyny yr adeg yma o'r flwyddyn.

Mae o leiaf ddau draeth ar Ynys Môn ac un ar Ynys Enlli lle bydd cregyn Mair *(conch)* yn cael eu golchi i'r lan yn gyson. Maen nhw'n gregyn bach hardd iawn, ond anaml y dônt i'r lan yn gyfan gan fod y tonnau'n eu taflu yn erbyn y creigiau. Dwi'n cofio dod ar draws cragen fawr frown tywyll ar draeth Aberffraw ar Ynys Môn, ac arbenigwr yn dweud wrthyf mai cragen y dwrgi *(otter shell)* ydoedd, a bod y rhai mwyaf dros wyth deg oed. Fe welwch arwyddion bod y stifflog cyffredin *(common squid)* i'w weld o amgylch ein harfordir hefyd, ond gan nad yw'r corff meddal yn goroesi'n hir yr unig dystiolaeth o'i fodolaeth ydi'r darn o 'asgwrn' gwyn fel blaen gwaywffon. Nid asgwrn ydi o mewn gwirionedd ond darn trwchus o galsiwm sy'n helpu i sicrhau nad yw'r anifail yn codi'n syth i fyny i wyneb y dŵr. Hwn hefyd sy'n cael ei werthu mewn siopau anifeiliaid anwes fel bwyd i'r byji.

Chwilotwch ymysg y gwymon ac rydych yn siwr o ddod ar draws pwrs y fôr-forwyn (*mermaid's purse*), sef wyau'r gath fôr (*dogfish*). Mae'r pysgodyn brown yma'n aelod o deulu'r siarc ac yn ddigon cyffredin hyd rannau o arfordir Cymru, lle gall dyfu i fod dros hanner medr o hyd. Dwi'n cofio mynd allan ar gwch pysgota o Aberdaron a dal llawer ohonynt mewn potiau cimychiaid. Ambell waith, bydd yr oedolion yn cael eu golchi i'r lan yn farw ar ein traethau.

Pan fydd stormydd yn parhau am wythnos a mwy, caiff cyrff llawer o adar hefyd eu golchi i'r lan ar y traethau. Dros fisoedd y gaeaf, bydd gwylogod (*guillemots*) a llurs (*razorbills*) yn hedfan allan i'r môr mawr i fyw, ond pan mae'n stormus mae'r rhai llai profiadol yn ei chael hi'n anodd i ddal pysgod, yn gwanhau ac yn marw. Nid pob un sy'n marw'n naturiol, fodd bynnag. Mae rhai llongau'n parhau i lanhau eu tanciau olew allan yn y môr mawr a bydd yr ychydig olew yma'n lladd cannoedd o adar ar y tro. Yn wir, mae'r ffeithiau'n dangos bod digwyddiadau bach, parhaol, fel hyn yn lladd llawer mwy o adar a bywyd gwyllt y môr na thrychinebau amlwg fel y *Sea Empress*. Yn aml, yr unig arwydd bod llong wedi gwneud hyn ydi'r adar sy'n cael eu golchi i'r lan wedi'u gorchuddio ag olew.

★ ★ ★

Tachwedd ydi'r mis pan fydd eogiaid yn gwneud eu ffordd yn ôl o'r môr ac i fyny afonydd eu mebyd er mwyn dodwy wyau. Byddant yn mynd allan i'r môr o amgylch Gwlad yr Iâ er mwyn ennill pwysau yn y dyfroedd oer, llawn bwyd a maeth, ac yna'n darganfod eu ffordd yn ôl trwy 'arogli' y dŵr er mwyn darganfod yr afon gywir. Wedyn, bydd raid iddynt fynd o'r dŵr hallt i ddŵr croyw a chwffio eu ffordd dros bob math o rwystrau cyn cyrraedd yr ardaloedd graeanus lle byddant yn bridio. Yma, mae'r iâr yn 'claddu', sef yn tyllu pant bach yn y graean gyda'i chorff i ddodwy'r wyau, a'r ceiliog yn chwistrellu'i laeth dros yr wyau er mwyn eu ffrwythloni. Yn y gwanwyn bydd yr wyau'n deor ond bydd hi'n ddwy flynedd eto cyn iddynt ddychwelyd i'r môr.

I bysgotwyr, hwn ydi brenin y pysgod a does dim

dwywaith ei fod yn anifail hardd, blasus ac yn anodd i'w ddal. Daliwyd y ddau eog mwyaf erioed (y naill yn chwe deg pedwar pwys a'r llall yn chwe deg un) bron i ganrif yn ôl gan ddwy ddynes yn yr Alban, ond roedd rhai o afonydd Cymru'n enwog am eu heogiaid hefyd. Gyda'r gorau ohonynt, a chyda'r gorau ym Mhrydain, oedd yr Afon Gwy. Hyd yn oed yn yr wythdegau, roedd hi'n bosibl dal llawer o bysgod dros ugain pwys. Heddiw, fodd bynnag, mae pethau'n wahanol iawn a gall rhywun bysgota am ddiwrnodau heb ddal dim.

Mae llawer rheswm am y dirywiad hwn. Allan ar y môr mawr, mae pysgotwyr yn dal miloedd o eogiaid ger Gwlad yr Iâ ac oddi ar arfordir gorllewinol Iwerddon, ac felly mae llai yn dychwelyd bob blwyddyn. Yn yr aberoedd, wedyn, mae pysgotwyr yn codi rhwydi i'w dal yn eu dwsinau.

Ond efallai mai'r afonydd eu hunain sydd wedi gweld y newidiadau mwyaf. Yma, mae niferoedd y defaid ar y ffermdir wedi cynyddu'n aruthrol dros y chwarter canrif ddiwethaf, a hynny wedi achosi dirywiad yn y torlannau wrth i'r tyfiant ddiflannu – golyga hyn lai o gysgod a llai o bryfed i'r pysgod. Mae gwaith ymchwil wedi dangos bod mwy o fwd yn y dŵr wrth i'r torlannau gael eu herydu a bod hyn yn lladd yr wyau. I wneud pethau'n waeth, mae'r defaid yn cael eu dipio mewn *pyrethroids*, cemegau erchyll sy'n lladd popeth yn yr afonydd. Does fawr o syndod felly bod yr eog o dan fygythiad mawr yn afonydd Cymru heddiw.

Ond ar yr Afon Gwy, mae grŵp o bysgotwyr a thirfeddianwyr wedi dod at ei gilydd i geisio datrys rhai o'r problemau. Ers dros dair blynedd bellach, maen nhw wedi bod yn ffensio o gwmpas rhannau o'r torlannau a glanhau rhai o'r afonydd bychain lle bydd y pysgod yn claddu. Yn ogystal â hyn, maen nhw wedi rhoi gwaharddiad ar bysgota yn yr aberoedd. Mae gwaith ymchwil hefyd ar fin dechrau er mwyn monitro'r boblogaeth a chael syniad gwell o niferoedd ac arferion y pysgod yn yr afon. Gobeithio y bydd yr ymgyrch hon yn un lwyddiannus ac y cawn weld yr eogiaid a'r pysgotwyr yn heidio'n ôl i'r Afon Gwy unwaith yn rhagor.

Mae ffrwythau coch yr ywen yn aeddfedu yn ystod mis Tachwedd, ac mae hynny'n denu adar i fynwentydd ar hyd a lled y wlad.

Mae cysylltiad coed yw ag eglwysi yn un hen iawn ac yn dyddio'n ôl i oes y paganiaid. Bryd hynny, gan eu bod yn cadw'u dail trwy gydol y gaeaf, roedd y Celtiaid yn credu bod ganddynt gysylltiadau â'r duwiau a byddent yn eu plannu mewn mannau sanctaidd. Pan ddaeth Cristionogaeth, adeiladwyd eglwysi ar y safleoedd yma er mwyn chwalu crefydd y paganiaid, a byth ers hynny mae mwy a mwy o goed yw wedi cael eu plannu mewn mynwentydd.

Credir mai'r ywen ydi'r goeden hynaf ym Mhrydain; yn wir, amcangyfrir bod rhai coed eithriadol o hen wedi cyrraedd tair mil o flynyddoedd mewn oedran. Mae'r dadlau'n frwd, fodd bynnag, gan fod canol coed yw yn marw ac yn diflannu nes bod dim mwy na chylch o bren yn weddill, ac mae hyn yn ei gwneud hi'n anodd i'w dyddio'n gywir. Beth bynnag ydi'r gwir, yn sicr mae 'na goed yw sydd dros fil o flynyddoedd oed i'w gweld mewn ambell i fynwent, a mae rhai wedi'u cofnodi yn y *Domesday Book* sy'n dyddio o'r unfed ganrif ar ddeg.

★ ★ ★

Aderyn mudol sy'n cyrraedd ein glannau mewn heidiau mawrion y mis yma ydi'r socan eira (*fieldfare*). Bydd y rhai cynnar i'w gweld ym mis Hydref ac, o dro i dro, hyd yn oed ym mis Medi, ond y mis yma y bydd y llifddorau'n agor. Mae'n aderyn mawr, tua'r un maint â brych y coed (*mistle thrush*) gyda phen llwyd a chefn browngoch. Fel rheol, bydd yr heidiau i'w gweld yn bwyta aeron mewn perthi neu'n bwydo ar bryfetach yn y pridd – yn aml yng nghwmni'r coch dan adain (*redwing*), perthynas agos sydd hefyd yn dod drosodd o Sgandinafia i dreulio'r gaeaf yma.

Mae dyfodiad yr adar yma'n gallu achosi problemau i'n bronfreithiaid. Bydd y rheiny'n amddiffyn tiriogaeth sydd ag o leiaf un llwyn yn llawn aeron, sy'n ddigon i'w cadw nhw tan y gwanwyn. Os daw haid o'r socan eira, fodd bynnag, bydd hi'n amhosibl i'r fronfraith fach amddiffyn y bwyd gwerthfawr yn erbyn yr adar mwy, ac os daw cyfnod oer, rhewllyd, gall y fronfraith farw o achos diffyg bwyd.

Mae'n bosibl denu'r coch dan adain a'r socan eira i mewn i'r ardd trwy dyfu llwyni sy'n cario aeron trwy'r gaeaf, fel y ddraenen ddu neu'r cotoneaster, neu gellwch daflu ffrwythau sydd wedi gor-aeddfedu allan i'r ardd. Os oes digonedd o ffrwythau ac aeron yn y gwyllt, fodd bynnag, pur anaml y dônt yn agos at y tŷ.

★ ★ ★

Dwi'n cofio mynd gyda un o bysgotwyr enwocaf Cymru, Norman Closs-Parry, i bysgota glasgangen (*grayling*) ar yr afon Ddyfrdwy. Y gaeaf ydi'r tymor i ddal y rhain, yn enwedig ar ôl rhew cynta'r flwyddyn, ac mae'r darn o'r Afon Ddyfrdwy sy'n dod allan o Lyn Tegid yn berffaith iddynt. Byddant yn bwydo ar bryfetach ar y graean ar wely'r afon gyda gwefusau mawr, trwchus ac maen nhw i'w gweld yn yr afonydd mawrion, fel y Ddyfrdwy a'r Hafren, sy'n llifo tuag at y dwyrain.

O fewn deng munud, roedd Norman wedi dal dau lasgangen mawr a dangosodd imi'r pethau nodweddiadol am y pysgodyn. Mae'n aelod o deulu'r brithyll a'r eog ond arian yw ei liw, gyda ffin mawr, piws fel hwyl ar ei gefn. Yn ôl Norman mae'n blasu'n dda hefyd, ond gan nad ydw i erioed wedi bwyta un mae'r pleser yna i ddod eto.

★ ★ ★

Erbyn rŵan, bydd yr ystlumod i gyd wedi dechrau gaeafgysgu yn eu clwydfannau gaeafol. Bydd rhai'n dewis tyllau parod mewn hen goed, eraill mewn hen adeiladau, ond mae'r ystlum bedol leiaf yn hoff o gysgu mewn ogofâu a hen fwyngloddiau. Ar ddiwrnod bythgofiadwy i mi, cefais y fraint o gyd-deithio gyda ffrind o Gyngor Cefn Gwlad Cymru oedd am fynd i mewn i hen fwynglawdd ger Meifod yn Sir Drefaldwyn er mwyn cyfri'r ystlumod yno. Roedd gofyn cael trwydded arbennig i wneud hyn, yn debyg i'r trwyddedau sy'n rhaid eu cael cyn ymweld â nyth aderyn prin. Mae hyn yn sicrhau nad aflonyddir yn ddiangen ar yr anifeiliaid.

Roedd y gwyddonwyr wedi bod yn dilyn hynt a helynt yr ystlumod ers blynyddoedd lawer, ac wedi darganfod eu bod yn bridio ac yn llochesu dros yr haf mewn islawr plasdy cyfagos ond yn symud i'r mwynglawdd yn yr hydref. Er mwyn eu diogelu, roedd grid haearn cadarn wedi ei osod dros y fynedfa ond gyda goriad roedd yn bosibl inni fynd i mewn trwy ddrws bach. Wrth fynd i lawr y twnel hir, gwelais wybed ar y waliau a phryf cop mawr gyda choesau hirion; roedd hwnnw wedi cael ei ddenu gan y gwybed, mae'n siwr.

Roedd gofyn mynd tua chan medr i mewn i'r mynydd cyn dod o hyd i beli bach llwydfrown yn hongian o'r to – yr ystlumod pedol leiaf. Maent yn hoffi gaeafgysgu mewn tymheredd o naw gradd canradd ac felly pan mae'n oeri y tu allan, byddant yn symud ymhellach i mewn i'r ogof, a phan mae'n cynhesu, byddant yn symud yn ôl allan. Os daw cyfnod o dywydd mwyn iawn mae'n bosibl iddynt ym-ddangos yn yr awyr agored a bwydo ar yr ychydig bryfed sydd o gwmpas yn y gaeaf, ond unwaith y bydd y tymheredd yn cwympo, mae'n rhaid dychwelyd i grombil y ddaear unwaith eto.

Mae Cymru'n gadarnle i'r ystlum bedol leiaf, ond er gwaethaf ymdrechion y cadwraethwyr, mae'r rhywogaeth yn parhau i fod o dan fygythiad. Yn aml, bydd yn colli safleoedd bridio wrth inni atgyweirio hen dai, ac mae plaladdwyr yn lladd y pryfed sy'n fwyd iddynt. Er bod llawer o ofergoelion yn gysylltiedig â'r mamaliaid bychain yma, maen nhw'n hollol ddiniwed, a phan gofiwch chi bod un ystlum yn gallu bwyta tair mil o wybed pob nos, mae hynny'n rheswm digon da i'w gwarchod.

★ ★ ★

Pan gaf i wythnos dawel ym mis Tachwedd a hithau'n oer ond yn braf, mi fydda i'n ceisio mynd i gerdded i'r mynyddoedd. Un o'm ffefrynnau i ydi Cader Idris. Fis Tachwedd diwethaf, cerddais i fyny'r mynydd o'r ochr ddeheuol – heibio Llyn y Gadair, ac i fyny tuag at y copa.

Roedd hi'n ddiwrnod rhewllyd ond yn braf iawn a'r awyr yn las. Erbyn i mi gyrraedd y llyn roeddwn am gael ysbaid a diod o ddŵr cyn camu 'mlaen ac eisteddais yng nghysgod carreg fawr lwyd. Fel roeddwn yn paratoi i adael y llecyn, dyma weld fflach wen o gornel fy llygaid. Edrychais draw tuag at y pentwr cerrig oedd yn amlwg yn cuddio rhyw greadur, ac o fewn eiliadau dyma ermin, sef carlwm gwyn, yn rhoi ei ben allan a syllu i fyw fy llygaid.

Mae'n rhaid bod yr anifail a minnau wedi aros yn stond am hanner munud bron cyn iddo blymio i blith y cerrig ac o'r golwg. Er imi geisio'i hudo allan drwy wneud sŵn gwirion (mae'n gweithio'n dda weithiau) ac yna rhoi darn o selsig ar lawr, doedd o ddim am ddod. Eisteddais yn yr un lle am hanner awr a mwy ar y ffordd yn ôl i lawr ond welais i ddim golwg ohono, er i gyfaill ddweud wrthyf ei fod yntau wedi gweld y carlwm yn yr un ardal tuag wythnos yn ddiweddarach.

Y carlwm ydi'r unig anifail yng Nghymru sy'n newid ei liw yn y gaeaf, er bod ysgyfarnog y mynydd *(mountain hare)* a grugiar y mynydd *(ptarmigan)* yn gwneud hyn yn yr Alban. Dim ond yn ucheldir Cymru y bydd y carlwm yn troi'n wyn. Yn yr iseldir, bydd yn aros yn frowngoch drwy'r flwyddyn, ac ar y bryniau rhwng y ddau bydd rhai yn hanner newid lliw. Yr hyn sy'n penderfynu os yw'r anifail am newid ei gôt ydi tymheredd yr hydref, pan fydd y carlwm yn bwrw'i ffwr. Os ydi hi'n oer, bydd y gôt wen yn datblygu; os daw tywydd mwyn, bydd y gôt frown yn parhau felly.

Addasiad i osgoi anifeiliaid ac adar ysglyfaethus ydi'r gôt wen gan fod eira'n aros yn hirach ar yr ucheldir. Gyda'r tymheredd yn codi'n araf a chyn lleied o eira'n cwympo y dyddiau hyn, gallai'r gôt wen fod yn anfantais i'r carlwm yn y dyfodol.

★ ★ ★

Bydd llawer o adar yn heidio at ei gilydd yn ystod y gaeaf, yn cynnwys hwyaid, rhydyddion, y brain a'r titws. Wrth gerdded drwy'r coed, fe welwch haid gymysg o ditws yn gwibio o frigyn i frigyn yn chwilio am fwyd. Bydd adar eraill fel y dringwr bach (*tree creeper*) yn ymuno â nhw weithiau ond mae un aderyn bach, sef y titw gynffon hir, yn aros gyda'i deulu nes daw'r gwanwyn.

Mewn haid o ditws mawr neu ditws penddu (*coal tits*) bydd yr aelodau'n gymysgedd o rhai lleol a rhai sydd wedi dod o bellter, ond os gwelwch haid o ditws cynffon hir bydd pob un yn perthyn i'w gilydd. Strategaeth gan y rhiaint ydi hyn, i geisio sicrhau bod y cywion yn goroesi'r gaeaf er mwyn nythu yn y gwanwyn. Gall yr adar profiadol basio ymlaen wybodaeth dyngedfennol i'r rhai ifanc – fel y llefydd gorau i ddod o hyd i fwyd, neu'r mannau mwyaf diogel i glwydo.

★ ★ ★

O dro i dro, bydd adar ysglyfaethus yn heidio at ei gilydd hefyd, ond yn y gwyllt yng Nghymru nid yw'n digwydd yn aml. Ar adegau, fodd bynnag, mae'n bosibl gweld cae yn llawn bwncathod yn cerdded o gwmpas yn drwmsglwth ac yn pigo rhywbeth i fyny o'r pridd. Dwi wedi gweld dros ddeugain o fwncathod gyda naw barcud mewn cae ger Caerfyrddin, a dwi'n cofio derbyn galwad ffôn gan ddynes a oedd wedi nodi dros hanner cant mewn cae gydag wyth crëyr glas.

Bwyta pryfaid genwair y mae'r bwncathod – sef un o'u hoff brae. Mae'r niferoedd mawrion yma i'w gweld yn aml ar ôl i'r ffarmwr droi'r tir neu roi tail ar y cae, gan fod yr amonia'n cythruddo'r mwydod ac yn achosi iddynt ddod i fyny i'r wyneb. Bydd yr un peth yn digwydd weithiau yn dilyn glaw mawr, gan fod twneli'r pryfed genwair yn llenwi efo dŵr. Gall gwylanod y penwaig (*herring gulls*) ddefnyddio hyn i'w mantais trwy redeg yn yr unfan yng nghanol cae. Mae'r mwydod yn credu mai glaw sy'n taro'r ddaear ac yn dod i fyny i'r wyneb, lle byddant yn cael eu llarpio'n syth.

Rhagfyr

Er mai Rhagfyr ydi mis ola'r flwyddyn, gyda'r dyddiau byrraf, mae digonedd i'w weld ym myd natur. Wrth i ni baratoi at y Nadolig, mae'r adar a'r anifeiliaid yn brwydro'n galed i ddod o hyd i ddigon o fwyd er mwyn cael byw o ddydd i ddydd.

★ ★ ★

Mewn gaeaf caled, gydag eira'n gorwedd ar y ddaear am wythnosau, bydd llawer o'r adar yn dioddef yn arw. Dyma'r prif elyn i adar y dŵr – fel y crehyrod a glas y dorlan (*kingfisher*) – a phan mae'r llynnoedd a'r pyllau o dan rew am gyfnod, gall canran uchel o'r boblogaeth farw. Dioddefodd y dryw bach hefyd yn arw adeg gaeafau caled 1962/63 ac 1981, a chollwyd miliynau o adar o fewn mis y blynyddoedd hynny. Erbyn heddiw, yn dilyn cyfres hir o aeafau mwyn, y dryw ydi'n haderyn mwyaf niferus ni gyda dros saith miliwn o barau yn nythu bob blwyddyn ym Mhrydain.

Mae anlwc un anifail yn golygu bywyd i rai eraill yn y gaeaf. Efallai fod y tywydd garw yn debygol o ladd rhai defaid ar y mynydd agored, ond gellwch fentro nad yw'r corff yn mynd yn wastraff. O fewn munudau bydd y gigfran a'r frân ddyddyn yn ogystal â'r barcud a'r bwncath wedi dod o hyd iddo – fel rhyw fwlturiaid Cymreig! Dros nos, wedyn, bydd llwynog neu ddau yn gwledda ar y gweddillion.

O'r adar ysglyfaethus, dim ond y gigfran sydd â'r nerth a'r pig i agor ysgerbwd dafad, felly mae'n rhaid i'r barcutiaid a'r brain tyddyn aros cyn cael eu pryd nhw. Yng Nghymru ers talwm, roedd yr eryr euraid (*golden eagle*) yn chwarae rhan bwysig yn y gwaith o glirio'r ysgerbydau, a chyn hynny, bleiddiaid ac eirth. Er bod sôn am ail-gyflwyno rhai o'r creaduriaid yma i'w cyn-gynefinoedd, yn anffodus dwi ddim yn meddwl y byddaf *i* byw i weld yr eryr yn hedfan dros Eryri unwaith eto.

★ ★ ★

Un o blanhigion pwysica'r gaeaf o safbwynt yr adar a'r anifeiliaid ydi'r eiddew neu'r iorwg *(ivy)*. Mae'n blanhigyn bythwyrdd sy'n defnyddio coed, waliau cerrig a chlogwyni i gyrraedd golau'r haul. Er bod miloedd o ddail gwyrdd trwchus fel petaent yn tyfu ar draws ei gilydd, mae pob un wedi'i osod fel ei fod yn gwneud y gorau o'r goleuni sydd ar gael heb gysgodi ei gymydog. Yn groes i'r gred gyffredin, nid yw'r eiddew yn lladd coeden trwy ddwyn maeth oddi arni, ond gall pwysau ychwanegol y dail bythwyrdd achosi i'r goeden gwympo yng ngwyntoedd y gaeaf.

Gan ei fod yn fythwyrdd, mae'n rhoi lloches bwysig rhag y gwynt a'r glaw i adar ac anifeiliaid . Yma hefyd, ar ddechrau'r gwanwyn, y bydd llawer o adar fel y fwyalchen a'r fronfraith yn adeiladu eu nythod. Nid yw'n blodeuo tan yr hydref, pan fydd llawer o'r pryfed a'r glöynnod byw hwyr yn bwydo ar y neithdar. A chan nad yw'r aeron yn ymddangos tan ddiwedd Rhagfyr ac yn ystod Ionawr – ar ôl i'r aeron eraill ddiflannu – mae'n fwyd pwysig hefyd i lawer o'r adar. Bydd ysguthanod yn hoff iawn o fwydo ar aeron eiddew yn ogystal â'r mwyalchod, brych y coed a'r robin goch, ac yn nes ymlaen bydd y coch dan adain yn gwledda arnynt er mwyn ennill pwysau cyn cychwyn ar y daith hir yn ôl i Ogledd Sgandinafia.

★ ★ ★

Gan fod dail y coed collddail wedi cwympo erbyn Rhagfyr, mae'n amser da i fynd i chwilio am nythod. Nid yn unig mae'r nythod yn llawer haws i'w gweld ond hefyd does dim posibl aflonyddu ar yr adar chwaith. Wrth gerdded heibio'r perthi a dod o hyd i nythod teloriaid *(warblers)* a bincod *(finches)*, mae'n anodd credu bod cymaint heb gael eu darganfod yn y gwanwyn – ond bryd hynny, wrth gwrs, roeddent wedi'u cuddio ymysg y dail.

Bob tro y bydda i'n gweld nyth bregus y telor, mi fydda i'n

synnu nad yw'r cywion wedi cwympo trwy'i waelod, ond mae'n amlwg bod y gwair wedi'i weu efo'i gilydd fel rhwyd gadarn. Edrychwch yn ofalus y tu mewn i nythod mwyalchod a bronfreithiaid ac fe welwch bentwr o hadau mwyar duon neu rosod gwyllt. Nid adar sydd wedi'u cludo yno ond llygod bach sy'n defnyddio'r hen nythod gyda'r nos fel byrddau clyd i wledda ar y ffrwythau o'u cwmpas.

Peidiwch â dinistrio'r hen nythod gan fod rhai'n cael eu defnyddio trwy gydol y gaeaf. Un o'r rhai gorau ohonynt ydi pelen gron nyth y dryw bach. Mewn twll yn y wal acw, bydd o leiaf bedwar dryw yn defnyddio'r hen nyth fel clwydfan dros y gaeaf, a dwi wedi gweld dros ddwsin yn clwydo mewn hen nyth gwennol y bondo. Sut ar y ddaear y gallodd cymaint ohonynt wthio i mewn i le mor gyfyng, dwi ddim yn gwybod.

Mesurodd naturiaethwr o'r enw Bryan Jones, sy'n byw yn Llangammarch, y tymheredd tu mewn a thu allan i flwch nythu yn ei ardd rhwng Rhagfyr 1998 a Chwefror 1999. Ar y pryd, roedd o gwmpas pymtheg titw tomos las yn clwydo yn y blwch, gydag uchafswm o un ar hugain ar un noson ofnadwy o rewllyd. Ar gyfartaledd, roedd y tymheredd yn y blwch chwe gradd canradd yn uwch na'r tymheredd y tu allan iddo – ond un noson, pan oedd hi'n minws saith gradd canradd y tu allan i'r blwch, cododd gwres cyrff yr adar y tymheredd y tu mewn y blwch i bedwar gradd canradd. Ar nosweithiau mor oer â hynny, mae'r codiad yn y tymheredd o fewn y nyth yn sicrhau y bydd yr adar fyw i wynebu bore arall.

Nid nythod yn unig sy'n haws i'w gweld yr adeg yma o'r flwyddyn – mae'r adar eu hunain yn llawer mwy amlwg hefyd, ac mae'n amser da i fynd i chwilio am rai o'r rhywogaethau hynny sydd fel rheol yn cuddio ymysg dail y coed. Un o'r rhain, ac aderyn sydd wedi prinhau dros y degawd olaf, ydi'r gnocell fraith leiaf (*lesser spotted woodpecker*). Mae'n debyg iawn i'r gnocell fraith fwyaf, gyda'r plu du, gwyn a coch, ond mae'n llawer llai – tua'r un maint â delor y cnau (*nuthatch*) tenau iawn. Mi fydda i'n gweld un neu ddau yn y coed derw ym mharc y Drenewydd yn y gaeaf, ond mae gofyn eistedd a gwylio am beth amser cyn dod o hyd iddynt. Bob gwanwyn, bydd pâr yn nythu mewn hen goed gwern (alder) ger ochr y gamlas a phâr arall ar dorlan yr Afon Hafren wrth ymyl y tŷ, ond dim ond yn y parc y bydda i'n eu gweld yn yr ardal hon yn y *gaeaf*.

★ ★ ★

Pan ddiflannodd y rhewlif ar ddiwedd Oes yr Iâ, ryw bymtheng mil o flynyddoedd yn ôl, gadawodd ar ei ôl gyfres o lynnoedd dwfn ym mynyddoedd Eryri. Wrth i lefel y ddaear godi, ynyswyd pysgod arbennig yn rhai o'r llynnoedd yma, sef y torgoch (*Arctic charr*). Mae'n aelod o deulu'r eog ac i'w weld yn rhai o lynnoedd dyfnaf Gogledd Lloegr, yr Alban ac Iwerddon, yn ogystal â Llyn Padarn ger Llanberis. Gyda'r nos, ar ddechrau mis Rhagfyr, bydd y pysgod yn dod i'r dŵr bas er mwyn dodwy wyau. Yr adeg yma o'r flwyddyn hefyd, mae'r ceiliogod yn hynod o liwgar – mae'r cefn a'r ochrau yn wyrddlas, ond y bol fflamgoch sy'n tynnu sylw. Fel gyda'r eog, bydd y pysgod gwrywaidd yn ffrwythloni'r cannoedd o wyau wedi i'r iâr orffen dodwy ymysg y graean.

Mae'n rhaid i'r torgoch fyw mewn dŵr oer iawn a dyna pam mae wedi goroesi yn y llynnoedd dyfn. Ar ddiwedd Oes yr Iâ, mae'n debyg y buasai wedi mudo i'r môr ac yn ôl i fyny'r afonydd, fel y gwna'r eog a'r sewin (*sea trout*) heddiw, ond wrth i'r môr a'n hafonydd gynhesu cafodd ei ynysu yn y llynnoedd. Gan ei fod yn brin iawn yng Nghymru, mae gwyddonwyr wedi'i gyflwyno i hanner dwsin o lynnoedd addas eraill yn Eryri, a hyd yn hyn mae'r poblogaethau newydd i'w gweld yn ffynnu. Os bydd tymheredd y byd yn parhau i godi, fodd bynnag, creaduriaid fel y torgoch sy'n debygol o ddiflannu gyntaf o Ynysoedd Prydain.

★ ★ ★

O amgylch moroedd bas Cymru, mae'n amser da i chwilio am forhwyaid duon (*common scoters*). Bydd miloedd yn gaeafu oddi ar yr arfordir, gyda'r boblogaeth fwyaf o ryw ugain mil ym Mae Caerfyrddin ond gellir hefyd weld hyd at bum mil yn gyson yn rhannau gogleddol Bae Ceredigion, a rhyw bedair mil oddi ar arfordir y Gogledd. Yn ogystal, o dro i dro, bydd heidiau bychain i'w gweld am ddiwrnod neu ddau ar lynnoedd, yn enwedig yn dilyn stormydd neu pan fyddant yn mudo.

Bydd yr adar sy'n gaeafu yng Nghymru yn nythu yng Ngogledd Scandinafia, y Ffindir a Rwsia, ac yn dechrau cyrraedd yn ôl i'r wlad yma ar ddiwedd yr haf. Byddant yn plymio dan y dŵr i fwydo ar falwod bach sy'n byw yn y tywod a chafodd y rhywogaeth yma ei heffeithio'n ofnadwy gan longddrylliad y *Sea Empress* oddi ar arfordir Penfro yn Chwefror 1996, wrth i'r olew lifo i mewn i Fae Caerfyrddin. Serch hynny, mae'r boblogaeth wedi goroesi'r drychineb ac mae miloedd o hwyaid i'w gweld yn gyson o draethau Amroth a Chefn Sidan.

Hwyaden hollol ddu gyda phig melyn ydi'r ceiliog, a'r iâr yn frown, ond cadwch eich llygad ar agor hefyd am hwyaid du'r gogledd *(velvet scoters)* ymysg yr heidiau. Mae'r rhain yn brinnach o lawer, a'r ffordd orau i wahaniaethu rhyngddynt a'r rhai duon cyffredin ydi chwilio am y bariau lliw gwyn ar adenydd y rhain wrth iddynt hedfan.

Aderyn arall sydd i'w weld ym Mae Ceredigion yr amser yma o'r flwyddyn ydi'r trochydd gyddfgoch *(red-throated diver)*. Mae poblogaeth fechan yn nythu yn yr Alban ond bydd miloedd mwy yn nythu yn y Gogledd pell. Unwaith y daw diwedd haf byr yr Arctig, byddant yn ffoi i dywydd mwynach gwledydd Ewrop a gellir gweld cannoedd oddi ar arfordir gorllewinol Cymru. Yn anffodus, erbyn iddo gyrraedd yma, mae wedi colli'r lliwiau godidog sydd ganddo dros y tymor nythu – allan ar y môr, y cyfan y mae rhywun yn ei weld ydi aderyn tebyg i filidowcar llwyd.

Bydd y trochydd gyddfddu *(black-throated diver)* a'r trochydd mawr *(great northern diver)* yn ymweld a'n harfordir yn y gaeaf hefyd, ond mae'r ddau yma'n brinnach o lawer. Mae'r cyntaf yn dywyllach na'r trochydd gyddfgoch, a'r ail yn fwy o faint gyda phig mawr, trwchus. Ar adegau, pan fydd stormydd allan ar y môr mawr, daw rhai o'r adar yma i mewn i'n haberoedd. Bryd hynny, mae'n llawer haws gwahaniaethu rhwng y gwahanol rywogaethau.

★ ★ ★

Pan fo'r Nadolig ar y trothwy, bydd pawb ohonom yn brysur yn paratoi ac yn prynu anrhegion a chardiau i ffrindiau hen a newydd. Dwi'n siwr y bydd llawer ohonoch yn prynu cardiau ag arnynt lun coeden Nadolig, eraill rai â llun robin goch neu goed celyn, ac weithiau lun o'r dryw bach. Ond pam bod yr adar a'r planhigion hyn yn gysylltiedig â'r Nadolig? Wel, mae 'na stori neu chwedl y tu ôl i bob un o'r creaduriaid Nadoligaidd, sy'n egluro'u presenoldeb ar y cardiau.

Y planhigyn mwyaf cyfarwydd ar gardiau'r Ŵyl ydi'r goeden Nadolig, ond traddodiad eithaf diweddar ydi codi ac addurno coeden fel hyn yng Nghymru. Spriwsen Norwy ydi'r goeden Nadolig go iawn, ac er ei fod yn hen draddodiad yn yr Almaen, dim ond yn 1841 y mewnforiwyd y syniad i wledydd Prydain. Y Frenhines Fictoria a'i gŵr, y Tywysog Albert, oedd yn gyfrifol am hynny – addurnwyd coeden Nadolig y tu allan i Gastell Windsor y flwyddyn honno. Mabwysiadwyd yr arferiad yn syth gan bobol Prydain, ac erbyn heddiw, wrth gwrs, mae coeden Nadolig i'w gweld ym mhob cartref bron dros gyfnod yr Ŵyl.

Mae'r arferiad o addurno coed yn dyddio'n ôl i Oes yr Haearn, ac addurno tai yn mynd yn ôl i oes y paganiaid, ymhell cyn geni Crist. Y dyddiau hynny, planhigion cynhenid bythwyrdd fel eiddew neu gelyn a ddefnyddid. Credid bod yr eiddew'n cadw'r Diafol draw, ond celyn oedd yr hoff blanhigyn, yn enwedig gan fod yr aeron cochion yn ymddangos ym mis Rhagfyr. Ers talwm, celyn oedd 'planhigyn y dynion' ac mae'n eironig i feddwl mae dim ond y coed benywaidd sy'n cario'r aeron. Rhoddid brigau'r ddau blanhigyn yma uwchben drws y tŷ ac uwchben drysau'r beudai er mwyn cadw'r bwganod draw a gwahodd yr ysbrydion da i mewn.

Planhigyn arall sy'n ffrwytho ac yn boblogaidd iawn dros y Nadolig ydi'r uchelwydd (*mistletoe*). Yng Nghymru, mae i'w weld yn bennaf yn y De-ddwyrain ond mae'n llawer mwy

Aderyn y bwn.

Drudwen.

Eiddew dros goeden.

Bwncath ar ysgerbi

cyffredin dros y ffin, mewn siroedd fel Swydd Henffordd a Swydd Gaerloyw. Mae'n blanhigyn parasitig gyda'i wreiddiau mewn boncyff neu frigau coed. Fel rheol, fe'i gwelir yn tyfu ar goed afalau neu goed poplys *(poplar)*. Yn yr oes Geltaidd, câi ei drin fel planhigyn hudol gan y derwyddon a chredid ar y pryd fod ganddo bwerau i hybu ffrwythlondeb. O'r coelion yma y daw'r arfer o gusanu dan yr uchelwydd.

Y creadur sy'n ymddangos fwyaf ar gardiau Nadolig heddiw ydi'r robin goch. Yn ôl y chwedlau, hwn oedd hoff aderyn yr Iesu gan iddo geisio tynnu'r hoelion allan o ddwylo a thraed yr Arglwydd wrth iddo ddioddef ar y groes. Mae sôn hefyd ei fod wedi sychu dagrau'r Iesu, a bod gwaed wedi cwympo ar ei frest wrth iddo wneud hynny a chreu'r fron goch. Ganrifoedd yn ôl, pan ddechreuodd y gwasanaeth post ym Mhrydain, roedd y postmyn yn gwisgo siacedi coch llachar a fe'u gelwid yn 'robins'. Dyma reswm arall pam mae'r robin yn ymddangos ar gardiau Nadolig, yn aml yn cario amlen yn ei big.

Ffefryn arall ydi'r dryw bach, neu 'wraig y robin', fel y'i gelwid ers talwm. Yn ôl y sôn, dryw bach a fradychodd safle cuddio Iesu Grist pan oedd yn cael ei erlid gan yr offeiriaid. Am ganrifoedd, arferai pentrefwyr hela'r dryw rhwng y Nadolig a'r Flwyddyn Newydd, a'i roi mewn caets tra bydden nhw'n adrodd penillion. Ar y llaw arall, mae sôn am ddryw yn adeiladu nyth yng nghrud yr Arglwydd, a'r aderyn yn gorchuddio'r baban bach gyda blanced o fwsogl a phlu er mwyn ei gadw'n gynnes. Un o hen enwau'r dryw oedd aderyn Duw, ac fel gyda'r robin goch, credid y deuai anlwc i ran unrhyw un a'i niweidiai.

Yn sicr, mae'r storiau a'r chwedlau sy'n ymwneud â'r adar a'r planhigion sy'n gysylltiedig a'r Nadolig yn cyfoethogi'r amser difyr yma o'r flwyddyn.

★ ★ ★

Ymwelydd haf sydd wedi newid ei arferion dros y chwarter canrif diwethaf ydi'r telor penddu *(blackcap)*. Tan yn weddol ddiweddar, buasai'r telorion penddu i gyd wedi gadael y wlad yma ar ddechrau'r hydref i hedfan yr holl ffordd i Affrica a dychwelyd ar hyd yr un llwybr ym mis Ebrill. Erbyn heddiw, mae llawer un i'w weld yn ein gerddi ac yng nghefn gwlad dros fisoedd y gaeaf, a'r gred yn wreiddiol oedd mai unigolion wedi penderfynu peidio mudo oeddynt. Dangosodd gwaith modrwyo diweddar, fodd bynnag, mai adar o ddwyrain Ewrop sydd wedi penderfynu mudo tua'r gorllewin oherwydd y tywydd mwyn ydi'r rhain.

Dim ond y ceiliog sydd â chap du ar ei ben; yn achos yr iâr, mae'r cap yn gochfrown. Fel rheol, fe'u gwelir ar ddechrau'r gwanwyn yn canu o frigau uchaf y perthi ac yn gwibio o lwyn i lwyn ar ôl eu bwyd. Yn yr haf, dim ond pryfed y byddant yn eu bwyta, ond maent wedi addasu i gymryd mantais o fwydydd eraill yn y gaeaf o achos prinder pryfetach. Byddaf yn eu gweld yn aml yn llarpio aeron yr eiddew ym mis Rhagfyr a Ionawr, a chânt eu denu i'n gerddi gan yr amrywiaeth o aeron a hadau sy'n cael eu darparu ar gyfer y titws. Ddeng mlynedd yn ôl, gwelid nhw'n bwydo ar yr hadau a gwympai i'r ddaear wrth i'r ji-bincs a'r titws fwydo uwchben, ond erbyn rŵan mae ambell un wedi dysgu sut i hongian ar y cewyll neu'r basgedi adar i fwydo ar y cnau mwnci.

★ ★ ★

Ymysg y cannoedd o filoedd o hwyaid sy'n ymweld â'n haberoedd a'n llynnoedd yn ystod Rhagfyr, mae un sy'n arbennig o hardd ac yn eithaf prin. Y lleian wen (*smew*) ydi hon, ac mae'r ceiliog ymysg y delaf o'r adar a welwch ar y dŵr mewn unrhyw wlad yn y byd i gyd. Gwyn ydi'i brif liw, gyda llinellau duon ar ei gefn a'i fron, a smotyn du ar ei lygaid. Mae'r iâr (unwaith eto!) yn llawer llai lliwgar, gyda phen brown, corff llwyd a gên wen.

Ymwelwyr o Siberia a Gogledd Sgandinafia ydynt, fydd yn cyrraedd mewn niferoedd bychain, amrywiol bob gaeaf. Dim ond unwaith erioed y gwelais un yn Sir Drefaldwyn – ceiliog gwyn, gogoneddus ar Lyn Clywedog un mis Rhagfyr ddechrau'r nawdegau. Ond maent yn ymwelwyr cyson â rhai o gronfeydd mawr y De, fel Eglwys Nunydd ger Penybont ar Ogwr.

Maent yn perthyn i'r un teulu â'r hwyaden frongoch *(red-breasted merganser)* a'r hwyaden ddanheddog *(goosander)* – sef teulu'r lli-big. Cânt yr enw o'r dannedd sydd i'w gweld yn y pig, addasiad perffaith i afael yn dynn mewn pysgodyn llithrig wrth i'r hwyaden blymio o dan y dŵr. Fel addasiad pellach mae'r traed wedi'u lleoli yn nes at y gynffon nag mewn hwyaid eraill, fel eu bod yn gwthio'r hwyaden trwy'r dŵr a'i gyrru ar ôl ei phrae yn fwy effeithiol. Er bod yr hwyaden frongoch a'r hwyaden ddanheddog wedi dechrau nythu yng Nghymru ers y pumdegau, go brin y bydd y lleian wen yn eu dilyn yn hynny o beth. Ond os ydych am eu gweld, ymwelwch â gwarchodfa Penclacwydd ger Llanelli.

★ ★ ★

Un o'r ychydig adar sy'n canu yr adeg hon o'r flwyddyn ydi bronwen y dŵr *(dipper)*. Aderyn bach brown, tew ydi hwn gyda bron wen lachar ac fe'i gelwir hefyd yn fwyalchen y dŵr neu'r trochwr. Mae'n unigryw gan mai hwn ydi'r unig aderyn bach sy'n hedfan o dan y dŵr ar ôl y pryfed sy'n byw rhwng y cerrig, ac mae hyn yn dipyn o gamp o gofio'i fod yn byw ar afonydd lle mae'r dŵr yn byrlymu dros y cerrig. Gyda'n hafonydd glân, llawn pryfed, mae bronwen y dŵr yn ffynnu yn ucheldir Cymru – heblaw am yr afonydd hynny sydd, fel yr afon Irfon ger Abergwesyn, wedi cael eu llygru gan law asid. Bydd yr asid yn lladd y pryfed yn y dŵr, a hyn yn ei dro yn golygu nad oes bwyd i'r adar a'r pysgod.

Mae'r adar bach yma'n cynnal tiriogaeth rownd y flwyddyn ar ddarn o afon sy'n mynd i gynnig digon o fwyd trwy'r gaeaf llwm a llecyn nythu addas ar ddechrau'r gwanwyn. Gan eu bod yn nythwyr cynnar, yn aml ar eu hwyau ddechrau Mawrth, mae'n bwysig i'r ceiliog hysbysebu'i diriogaeth yng nghanol y gaeaf. Mae'n gân ddigon swynol a bydd y ceiliog i'w weld yn aml ar foreuau braf yn canu o ben carreg yng nghanol yr afon. Wedi denu iâr, bydd yn cynnig pryfed iddi er mwyn dangos bod ganddo'r gallu i ddal digon o fwyd i gynnal teulu, ac yna bydd y gwaith caled o adeiladu nyth yn cychwyn.

Fel rheol, bydd y nyth o fwsogl gwyrdd yn cael ei osod yn y dorlan neu o dan bont, ond mae'n bosibl eu denu i nythu mewn blychau hefyd. Byddant yn magu dwy neu dair nythaid o gywion. Mae'r nyth yn debyg iawn i nyth dryw mawr, a chan ei fod wedi'i guddio o'r golwg, mae'n ddiogel a chlyd dros ben. Un o'r peryglon mwyaf i'r adar ydi llifogydd sy'n gallu golchi'r nythod ymaith, ond gall sychder mawr gael effaith andwyol ar yr adar hefyd gan fod llai o fwyd ar gael i fwydo'r cywion. Er gwaetha'r tywydd gwlyb rydym wedi'i brofi dros y blynyddoedd diwethaf, mae'r adar hudolus yma'n parhau i ffynnu ac yn dod â chân dderbyniol i'n hafonydd mewn mis digon tawel.

★ ★ ★

Fel y soniais eisoes, y carlwm *(stoat)* ydi'r unig anifail sy'n newid ei liw yn ystod y gaeaf yng Nghymru, a hynny ddim ond ar yr ucheldir. Bob mis Rhagfyr am dair blynedd yng nghanol y nawdegau, serch hynny, ymddangosodd aderyn claerwyn ger y Drenewydd a achosodd gryn dipyn o gynnwrf ymysg yr adarwyr. Roedd rhai'n credu mai rhywogaeth brin o'r Dwyrain Pell ydoedd, ond wedi edrych arno'n fanylach, aderyn du albino oedd o hefo llygad a phig pinc.

Diffyg lliw yn y corff sy'n achosi hyn, a thros y blynyddoedd dwi wedi gweld pâl gwyn ar Ynys Sgomer a brân wen ar gyrion y Drenewydd. Ychydig flynyddoedd yn ôl roedd y papurau'n llawn o hanes robin goch albino ger Llanberis, ond dyw hyn ddim yn digwydd yn aml gan mai dim ond un allan o bob dwy filiwn o adar sy'n colli'u lliw yn gyfan gwbwl. Llawer mwy cyffredin yw'r adar sy'n *rhannol* albino – hynny yw, mae *rhai* plu gwyn ganddynt ar eu cyrff. Wrth imi ysgrifennu hyn, mae ceiliog aderyn du gyda chynffon a choler wen i'w weld yn y fynwent ger y tŷ, ac mae llawer brân dyddyn o gwmpas y dref gyda bariau gwyn yn ei hadenydd tywyll.

Gall anifeiliaid hefyd fod yn albino. Dwi wedi clywed sôn am lwynog gwyn yng nghefn gwlad Cymru, ac ambell i ddraenog a mochyn daear gwyn hefyd. Weithiau, mae bod yn glaerwyn yn gallu bod yn anfantais, gan fod y creadur yn llawer mwy amlwg i adar ac anifeiliaid ysglyfaethus, a dwi wedi gweld adar o'r un rhywogaeth yn erlid aderyn gwyn – hyn, mae'n debyg, am ei fod yn 'wahanol'.

Yn ogystal â diffyg lliw, gall rhai anifeiliaid ac adar ddatblygu *gormod* o liw yn eu ffwr a'u plu. Melanig ydi'r enw am hyn, neu *'melanistic'* yn Saesneg, a'r unig dro imi weld aderyn yn dangos y symptomau yma oedd gwylan benddu dywyll mewn haid ar draeth yn yr Alban rai blynyddoedd yn ôl. Er mwyn drysu rhywun yn llwyr mae 'na ffurf olau hefyd, ond dyw anifail felly ddim yn albino gan ei fod yn fwy melyn. Yn ôl y Geiriadur Mawr, does dim enw Cymraeg ar y ffurf olau, ond fe'i gelwir yn *'leucistic'* yn Saesneg. Dwi wedi gweld ambell i fochyn daear yn dangos y lliwiau hyn, ac unwaith gwelais frân dyddyn felen digon od yng nghanol nythfa eang ger y Trallwm.

★ ★ ★

Os daw eira ar ddiwedd y flwyddyn, mae'n amser gwych i fynd allan i ddilyn a dysgu am olion anifeiliaid ac adar. Mae'n bosibl gwahaniaethu rhwng olion mochyn daear, gyda'i bawen lydan, a llwynog, gyda'i bawen fel ci. Mae hefyd yn bosibl adnabod anifeiliaid fel ysgyfarnogod, cwningod, gwiwerod, wencïod a dwrgwn, ond mae'n cymryd cryn dipyn o ymarfer. Y ffordd orau i ddysgu ydi naill ai mynd allan gydag arbenigwr neu brynu llyfr da.

Fel y mamaliaid, bydd adar yn gadael eu holion yn yr eira hefyd. Lle mae olion traed anferthol y crëyr glas yn amlwg, mae'n bosibl hefyd dilyn traciau brain a bwncathod wrth iddynt chwilota am fwydod ar hyd y caeau. Dwi'n cofio unwaith imi ddod ar draws siâp corff tylluan frech (a hwnnw'n siâp perffaith) ar yr eira ar y lawnt. Wedi glanio roedd hi ar lygoden fach, ac mae ambell un wedi anfon lluniau imi o olion tylluanod wedi iddynt hedfan yn erbyn ffenestr.

Bydd ciperiaid wrth eu boddau yn yr eira gan ei bod yn llawer haws dod o hyd i ffau llwynog neu loches carlwm wrth ddilyn eu holion. Ers talwm, buasent hefyd wedi cymryd mantais o'r diffyg bwyd trwy roi ysgerbydau allan i ddenu brain a llwynogod er mwyn eu saethu. Diolch byth, mae'r hen arferiad o roi gwenwyn ar ysgerbydau wedi diflannu bron yn gyfan gwbwl ers iddo gael ei wneud yn anghyfreithlon flynyddoedd lawer yn ôl.

★ ★ ★

A dyna ni wedi cyrraedd diwedd blwyddyn llawn cynnwrf, gyda digonedd o bethau i unrhyw naturiaethwr eu gweld a'u gwneud. Mae'n bwysig iawn cofio'n bod yn byw mewn gwlad unigryw, un sydd â thirlun a bywyd gwyllt anhygoel. Ers canrifoedd, bellach, rydym wedi cymryd y wlad hon yn ganiataol ac wedi amharchu'i bywyd naturiol. Gobeithio y byddwn yn dysgu'n gwers mewn da bryd, fel y gallwn adael cyfoeth cefn gwlad Cymru mewn cyflwr gwell i'r cenedlaethau sydd i ddod.